CEUX QUI SORTENT
DANS LA NUIT

MUTT-LON

CEUX QUI SORTENT DANS LA NUIT

roman

BERNARD GRASSET

PARIS

*Toute ressemblance avec des personnes existant ou ayant existé
ne serait que pure coïncidence.*

Photo de la bande : Eric Lafforgue/Rapho

ISBN : 978-2-246-80420-8

A ma mère, Marceline Nsegbe, fière paysanne de l'Afrique équatoriale, qui la première m'avait mis un roman entre les mains.

J'étais démoralisé.

Pas tant parce que j'allais peut-être devoir me battre contre une vieille dame, mais parce que j'étais presque certain qu'elle aurait le dessus. La confrontation était désormais inévitable et je ne savais pas comment on se protège d'une telle personne. Aussitôt que j'aurais abordé le sujet, Mispa ma grand-mère adorée s'efface-rait pour laisser place à une sorte de bête traquée, dange-reuse et douée pour la survie. C'était pourtant cette bête-là, inconnue de tous, qui m'intéressait et m'effrayait à la fois. Si Dodo ne me l'avait pas dit juste avant sa mort, jamais je n'aurais imaginé une chose pareille !

Quatre jours étaient passés depuis l'enterrement de Dodo. Ce matin-là, on posa une cuvette sur sa tombe, remplie d'une mixture de feuilles et d'écorces de la brousse, et la cérémonie débuta. Un à un les gens commencèrent à monter sur la tombe. Certains murmu-raient quelque chose, comme s'ils parlaient à la disparue, avant de se laver les mains dans la cuvette. Ici on est attentifs au peu de traditions qui subsistent, et il reste un ou deux patriarches qui savent organiser la cérémonie des adieux. Quand mon tour arriva de me soumettre au rite, je demandai pardon à Dodo et m'engageai à retrouver tous ceux qui lui avaient fait tant de mal. Je ne pus ensuite retenir mes larmes. Personne ne m'avait encore vu pleurer, ni à Yaoundé où ma sœur cadette était décédée deux semaines plus tôt, ni ici au village où elle avait été inhumée tout à côté de nos parents. Depuis le début, les gens n'avaient cessé de me regarder avec suspicion. Maintenant que j'exprimais enfin du chagrin, il me sembla que quelques regards se faisaient un peu moins accusateurs. Ce qui me mettait le plus en colère c'était de me retrouver dans la peau du suspect alors que les vrais coupables étaient présents, pour la plupart… Et nul ne les soupçonnait, eux ! Désormais je n'avais plus personne, excepté peut-être Mispa, ma grand-mère paternelle. Bien sûr le village était plein de cousins, tantes, oncles, etc. Ils m'avaient tous témoigné de la sollicitude et avaient multiplié des gestes de solidarité. Mais à travers certains regards subitement fuyants, des jurons équivoques et des silences éloquents, j'avais vite compris que j'étais déjà dans le box des accusés. Je ne cessais de me demander pourquoi c'était sur moi que tout le monde se retournait, et sur quels éléments on se basait pour me condamner d'office. A moins que ce ne fût à cause de ma belle voiture et de mes autres signes extérieurs de richesse, je ne voyais vraiment pas.

Avec beaucoup d'amertume j'envisageais déjà de devoir me retrouver en quarantaine. Ici, chez nous, il n'y a pas moyen de vivre normalement sans se préoccuper du qu'en-dira-t-on.

J'avais dit à Mispa que je souhaitais m'entretenir avec elle le soir. Même la perspective de cette entrevue me hérissait le poil. J'étais démoralisé, heureusement il me restait l'après-midi pour me reprendre. De toute façon il fallait que je l'affronte. Il ne s'agissait pas seulement de lui dire que moi je *savais*, que je ne comptais pas en rester là, mais j'avais également un souhait très précis à lui soumettre. De deux choses l'une : soit elle accédait à ma demande et il nous restait peut-être une chance de nous réconcilier, soit elle refusait, et alors là…

*
* *

On pouvait tout reprocher à Mispa, mais pas sa gentillesse. Elle avait l'art de vous donner le sourire, et sa voix douce était pleine d'une chaleur engageante. Dans son album-photos, qui à lui tout seul pouvait tenir lieu de brochure de la mode vestimentaire des années 50, il y avait en première page le portrait en noir et blanc d'une jeune femme désarmante de beauté. Pourtant sur cette photo son visage n'affichait aucun artifice cosmétique et sa coiffure, qui n'avait pas nécessité le renfort de mèches, était faite de deux nattes courant du front vers la nuque. Mispa avait dû avoir plus que du succès auprès des hommes, et je m'étonne encore qu'elle ne se soit jamais mariée.

C'est vrai que les villages d'aujourd'hui ne sont plus ce qu'ils étaient. Mais malgré l'électricité et la télévision qui ont à elles seules rallongé le traintrain quotidien d'un tiers de temps dans nos villages, Mispa avait gardé ses vieilles habitudes. Elle dînait à 18 heures et se couchait aussitôt que la nuit était tombée. Aussi étions-nous convenus de nous retrouver le soir dans sa cuisine, et de nous entretenir une fois le repas terminé. Personne ne prépare le poisson à la sauce *mbongo* comme ma grand-mère. J'entends souvent dire que la recette d'une authentique sauce *mbongo* comporte quarante-sept ingrédients. C'est seulement quand je mange chez ma grand-mère que je suis convaincu que les quarante-sept ingrédients de cette fameuse sauce de l'arrière-pays ne tiennent pas de la fable populaire, surtout quand je regarde la quantité de calebasses qui sont accrochées à sa claie.

Le soir arriva et le poisson à la sauce *mbongo* de Mispa fut égal à lui-même. La cuisine était silencieuse, d'ailleurs il n'y avait aucune oreille indiscrète à redouter. Depuis la cavale sans issue de Dodo pour Yaoundé, Mispa vivait seule dans une concession de trois cases, isolée au bord d'une piste à peine carrossable. Les premiers voisins n'étaient peut-être qu'à cinq cents mètres, certes, mais même dans la journée les gens ne venaient pas trop car l'unique source d'eau potable du village était de l'autre côté. Comme on avait incinéré le corps de Dodo à l'acide sulfurique, les villageois n'avaient pas jugé utile de prolonger les tours de garde autour de la tombe au-delà de la troisième nuit, et chacun était rentré chez soi à la fin de la cérémonie des adieux. Les ouvriers de la palmeraie de Mispa n'allaient pas s'attarder au pressoir ni venir ranger des bidons d'huile dans le magasin, puisqu'on n'avait pas récolté de régimes de noix cette semaine. C'était donc le grand calme, et au loin tous les bruits crépusculaires que seule sait exhaler la forêt équatoriale, une poule qui gloussait sur ses œufs sous une étagère et le feu qui crépitait de temps en temps sous la claie. Par souci d'économie, Mispa alla désactiver le feu en retirant des bûches du foyer. Elle revint s'asseoir en face de moi, croisa les bras et releva doucement le menton. Perchée dans un coin, une ampoule noire de suie éclairait chichement la scène, me permettant tout juste de voir sa silhouette rabougrie et, de temps en temps, la lueur de ses yeux.

— Je t'écoute, me dit-elle.

— Non, c'est toi qui parleras. Car s'il y a dans ce village quelqu'un qui sait exactement comment Dodo en est arrivée là, c'est bien toi.

— Tu es sérieux ?

— Peut-être même plus. Le jour de sa mort, Dodo m'a dit des choses dans son lit d'hôpital. Elle était déjà très mal en point et c'est à peine si elle parvenait à enchaîner deux mots, mais je te garantis qu'elle a su me faire

12

comprendre de quoi elle souffrait et surtout qui l'avait mise dans cet état.

– Je conçois que la mort de ta sœur t'ait perturbé, aussi ne relèverai-je pas tes insinuations. Tu as fait preuve de courage depuis la morgue jusqu'ici. Les commissions que tu as mises en place ont fonctionné et le discours que tu as prononcé avant l'enterrement a été apprécié. Si le deuil s'est bien déroulé c'est grâce à ta supervision et à ta pondération. Et je t'engage à continuer. L'homme de la maison c'est toi et il n'est pas question que tu t'égares.

– Oh arrête, je t'en prie ! N'essaye pas de m'enfumer avec tes paroles pleines de sagesse. Je sais que Dodo était de *ceux qui sortent dans la nuit*, que c'est toi qui l'avais initiée à cette pratique occulte, et que c'est lors d'une équipée nocturne qu'elle a été interceptée à Yaoundé par des gens que tu connais bien.

– C'est elle qui t'a raconté tout cela ?

– Je l'entends encore, entre deux spasmes, me dire : « C'est les amis de *mbombo* Mispa qui m'ont battue. »

– Ah, cette enfant ! C'est décidément sa langue qui l'aura perdue.

Mispa resta tout d'abord silencieuse, les yeux dans le vague. Puis elle me toisa et souffla bruyamment. Même les grillons des alentours s'étaient tus, comme s'ils avaient senti un péril. A ce moment précis, j'étais conscient d'être déjà face au danger, mais je ne savais pas encore sous quelle forme il pouvait se manifester. Je soutins son regard sans bouger un cil. Une bûche éclata dans le feu en projetant quelques étincelles.

– Quand bien même je parlerais et que tu saurais tout, en quoi cela t'avancerait-il ? demanda-t-elle d'une voix monocorde.

– Je te le dirai tout à l'heure.

– Je pense que nous avons eu assez de malheurs comme ça, inutile de nous affronter : je parlerai. Mais crois-moi, cher petit-fils, tu sauras la vérité et elle te rendra encore plus malheureux… Avec la mort de Dodo c'est toute mon œuvre qui s'est écroulée et je considère aujourd'hui que je n'ai plus rien à perdre, car ce n'est pas à mon âge qu'on se refait une vie. Ce que tu vas apprendre appartient à un cercle très restreint de personnes. Jamais, de toute mon existence, il ne m'est arrivé de porter à l'attention d'un ingénu les activités secrètes de ces personnes-là. Tant de choses, surtout des mauvaises, sont dites sur *ceux qui sortent dans la nuit*, selon l'expression consacrée. Ce qui est heureux pour tout le monde c'est que personne n'en sait rien de précis, car ceux qui savent ne parlent pas. Le simple fait d'entamer cette conversation nous met tous les deux en danger parce que la nuit étant déjà tombée, il y a de fortes chances que des gens soient déjà *dehors*, perchés sur les manguiers et les cocotiers qui nous entourent, ou pourquoi pas tranquillement assis dans un coin de cette cuisine à nous écouter… Ah, ne fais pas cette tête-là ! Tu veux toujours que je parle, non ?

– Oui.

– J'espère seulement pour toi que mes galons de capitaine et chef de la meute de ce village, que je pense avoir bien mérités depuis tant de nuits que j'officie ici, suffiront ce soir à nous éviter quelque invité importun. Sois gentil d'aller fermer cette fenêtre-là, puis de me servir un verre d'eau…

1

Dodo

Après quelques gorgées d'eau, Mispa poursuivit :

« Dodo naquit dans ce village il y a un peu plus de huit ans, même pas à l'hôpital car c'est moi-même qui servis de sage-femme en recevant le bébé au bord de la rivière Malimbo où sa mère et moi étions allées nous baigner. Il faut dire que sa naissance nous avait vraiment pris de court, car le médecin avait situé l'accouchement entre le 25 et le 28 tandis qu'on était le 3. Tout s'était passé très vite et très bien. Les gens nous avaient vues rentrer au village avec un paquet, et c'est d'ailleurs parce que Dodo criait fort qu'ils avaient deviné que c'était un bébé sous la serviette.

« Ma vie s'était vite organisée autour de la petite Dodo car très peu de temps après sa naissance, un mois tout au plus, sa mère avait repris ses activités. Le bébé n'avait même pas encore dégluti après sa tétée du matin que la brave femme était déjà au champ, laissant le couffin entre mes mains. Avec ton père tous deux formaient un authentique couple d'agriculteurs ; pas ces gens que le gouvernement encourage, à coups de discours mensongers et de promesses électorales, à venir nous encombrer ici au village quand ils ont échoué partout en ville. Ces deux amoureux avaient dû se rencontrer sous un bananier, tellement ils passaient du temps au champ. Quand ils sortaient d'ici au petit matin c'était boulot non-stop jusqu'à 15 heures. L'arrivée du bébé n'avait pas perturbé leur quotidien, sauf que des pauses-tétée avaient été consenties. Ils passaient du champ d'ignames à la palmeraie, sarclant, élaguant ou transportant, toujours ensemble jusqu'au pressoir à huile où ils tenaient eux-mêmes la manivelle. Pendant ce temps, c'est moi qui prenais soin de l'enfant. En vérité ce n'était pas très prenant comme tâche car Dodo étant un bébé plutôt tranquille, dès qu'elle avait mangé on la couchait et il suffisait de veiller à ce que la couche soit changée. J'avais pris l'habitude d'installer son berceau dans la cuisine, où elle babillait gaiement tandis que je jetais des oignons dans l'huile. Quand mes sauces étaient prêtes je retirais le bébé de sa couchette et toutes les deux on allait se promener sous les arbres, où elle ouvrait de grands yeux et ne tardait pas à s'endormir, bercée par la douceur du vent et le chahut des colibris. Un bébé qui dort dans la forêt en se suçotant la langue, je ne connais pas de spectacle plus attendrissant.

« Mon fils et sa femme avaient l'habitude de vendre eux-mêmes leur production agricole. Quand on est un véritable agriculteur on a toujours quelque chose à vendre, quelle que soit la saison. Un samedi sur deux ils chargeaient leur pick-up de fûts d'huile de palme, de sacs de manioc ou d'ignames, de régimes de plantains, etc., et ils prenaient la route de Douala où des revendeurs les attendaient sur les marchés. Ces voyages périodiques étaient aussi pour eux l'occasion de se détendre. Après livraison des victuailles, ils partaient faire des courses avant d'aller rendre visite à des amis et, le plus souvent, cela se terminait le soir en bande autour d'une sole braisée arrosée de bières. Ils partaient passer la nuit dans un motel et le lendemain ils reprenaient la route dans l'après-midi pour arriver ici le soir. Leur vie était ainsi réglée et ils reproduisaient inlassablement les mêmes actes aux mêmes périodes. Quelques variantes survenaient bien sûr de temps à autre, mais elles étaient toutes du fait de la petite Dodo qui grandissait et dont il fallait tenir compte. C'est ainsi que dès l'âge de six mois elle fut intégrée aux voyages de Douala.

« Un dimanche soir, j'étais assise dans une chaise longue sous le manguier de la cour, les yeux rivés sur la route. La nuit commençait à tomber et je m'inquiétais de plus en plus car Dodo et ses parents n'étaient toujours pas rentrés de Douala. C'était l'époque où il n'y avait pas un seul téléphone portable dans tout le village parce qu'il n'existait aucun réseau disponible ; toutes les nouvelles de la ville nous arrivaient par le train. Je dus me résoudre à me coucher quand il fut 21 heures, une heure tardive dans un village comme le nôtre, surtout pour une personne comme moi… Quand j'ouvris l'œil, au matin, c'est un calme très inhabituel qui m'interpella d'abord. Un rapide tour des chambres me confirma qu'ils n'étaient pas rentrés, et je décidai de reprendre ma place sous le manguier. A peine étais-je installée que je vis une silhouette poindre à l'autre bout de la piste : un jeune homme du village que je reconnus aussitôt. Lorsqu'il commença à monter dans ma direction je me sentis gagnée par un sentiment de panique, de sorte que j'avais déjà les cheveux debout avant qu'il ne m'annonce l'accident. Ça s'était produit à Yassa. Le pick-up avait été coupé en deux par un camion. Les victimes avaient été conduites à l'hôpital Laquintinie. Grâce aux cartes d'identité, on avait pu alerter par téléphone fixe la gare du village. Le comble c'était que le jeune homme n'en savait pas plus et était incapable de me dire s'il y avait des morts ou seulement des blessés !

« Dès que je recouvrai un peu de lucidité, je sautai dans le premier train. Ce n'est qu'à Douala que le bilan de l'accident me fut communiqué : quatre morts et une rescapée. La rescapée c'était Dodo. Elle ne présentait même pas une égratignure. J'appris qu'elle avait été protégée du choc par sa mère qui la tenait dans ses bras et s'était recroquevillée sur elle. Seulement, elle n'avait désormais plus de mère ni de père, ses parents étaient au nombre des décédés. Je m'en fus la chercher à la maternité où on l'avait laissée sous la garde d'une infirmière. Quand elle me vit, elle manifesta vivement sa joie et me tendit les bras. Elle avait neuf mois. C'est ainsi que je ramenai ma petite-fille au village, après avoir reconnu mon fils et ma belle-fille à la morgue.

« Après l'enterrement, ce qui nous restait de famille se réunit pour décider du sort de Dodo. Il y avait là Moïse, mon seul fils encore vivant, fonctionnaire au ministère des Finances à Yaoundé ; il y avait sa femme Martine, journaliste ; et il y avait toi Alain, le premier de mes petits-enfants, frère de Dodo, issu du premier lit de mon défunt fils. A cette époque tu étais encore étudiant à l'université de Yaoundé II, et c'est ton oncle Moïse qui t'hébergeait. Aucun de vous trois n'étant libre, nous étions vite tombés d'accord : le mieux pour Dodo était qu'elle vive auprès de moi ici au village. J'avais accueilli cette décision avec joie et soulagement. Car maintenant que Dodo était sous ma responsabilité exclusive, j'allais enfin pouvoir concrétiser sans risque d'interférence le projet que je nourrissais pour elle depuis le début.

« Je dois dire ici que j'avais décidé du sort de Dodo depuis le jour de sa naissance, quand je l'avais recueillie de mes mains sur la rive de la Malimbo. Elle représentait mon dernier espoir et, du moment que je l'avais choisie, rien ni personne n'eût été capable d'entraver mes desseins. Il ne faudrait surtout pas croire que c'est le décès de ses parents qui facilita mes manœuvres. Ces deux ingénus-là, qui ne comprenaient rien aux choses occultes, n'auraient jamais su comment me barrer la route. Dodo devait prendre ma succession et je n'attendais que le bon moment pour commencer son initiation. Je peux aujourd'hui confesser que le jour où la nouvelle de l'accident du pick-up me parvint sous le manguier, ma douleur la plus vive fut surtout d'être restée trop longtemps sans savoir ce qu'il était advenu du bébé. Non que le sort de mon fils et de sa femme m'indifférât, c'étaient tous deux des gens bien que j'aimais et protégeais même des envieux de ce village. Mais quand j'avais vu Dodo indemne à l'hôpital, je m'étais sentie comme renaître et j'avais jugé sage de précipiter son initiation.

« L'initiation au voyage astral, puisque c'est de ça qu'il s'agit, est quelque chose de méthodique dont la simplicité est inversement proportionnelle aux pouvoirs que confère le phénomène. Le voyage astral, dont la pratique et les buts diffèrent sans doute d'une école à l'autre, nous est parvenu par la cooptation intergénérationnelle. Un peu comme un banal héritage familial. Sauf qu'ici le legs n'est pas morcelé et ventilé au profit de toute la progéniture mais concentré entre les mains d'une seule personne par génération, et même pas dans chaque famille. Ici chez nous les adeptes du voyage astral se manifestent exclusivement dans la nuit, au sein d'une société complètement opaque pour les non-initiés. Pour qu'on se comprenne mieux, je pense qu'une petite leçon de choses s'impose.

« Une personne physique est un amalgame de corps et d'esprit. Le corps c'est d'abord les organes des sens : la peau, les yeux, la langue, le nez et les oreilles ; mais le corps c'est aussi les viscères au service des muscles. Si le corps ainsi défini n'est rien d'autre qu'une masse, l'esprit quant à lui représenterait par analogie la petite quantité d'air qu'il faut d'ordinaire associer à une masse pour qu'elle flotte. Plus cet air est dense, plus la masse s'élève. Tout ce charabia revient à dire en français facile que chacun de nous reçoit à sa naissance un capital appelé *esprit* pour mettre l'ensemble de son corps en mouvements plus ou moins coordonnés. Plus l'esprit est pur, plus le corps rayonne et mieux la personne se distingue. L'esprit dirige le corps mais les deux entités ne sauraient exister l'une sans l'autre, quoiqu'elles puissent être développées séparément.

« Le principe du voyage astral, celui que nous pratiquons ici, consiste à isoler l'esprit qui est en nous, à le libérer de notre corps et à en faire une entité indépendante et viable. Mais une entité forte et dotée de toutes les propriétés qui sont celles du corps, à l'exception d'une seule : la masse.

« Le voyageur astral est donc tout simplement un esprit vivant. Il bénéficie du premier avantage de tout corps sans masse c'est-à-dire qu'il est totalement léger : il peut donc se mouvoir comme bon lui semble, et même s'envoler. Le deuxième avantage est qu'il est invisible et le troisième avantage est qu'il peut passer par n'importe quelle ouverture, même par le trou d'une serrure. Puisque c'est un esprit, son mouvement est coordonné par une volonté. Puisque c'est une entité humaine, quoique sans masse, il jouit de tous les sens : il peut voir donc apprécier ; il peut goûter donc consommer ; il peut sentir donc deviner ; il peut ouïr donc rapporter ; il peut toucher mais ne peut être touché que par des entités similaires. C'est dans ce dernier point, mélangé à l'invisibilité, que réside le gros de ses privilèges. Sa force musculaire, comme tous ses sens, est décuplée par son esprit dominant.

« Toutefois, ce n'est pas parce qu'on peut désormais grimper aux arbres plus vite qu'un lézard ou carrément marcher sur l'eau que se livrer au voyage astral doit être vu comme un loisir. A l'instar de toutes les activités qui permettent d'atteindre les cimes, le voyage astral est quelque chose de dangereux qui nécessite beaucoup de précautions.

« Pour pouvoir se livrer à notre type de voyage astral, la première chose à faire est d'être en état de somnolence. C'est peut-être pourquoi la plupart des initiés aiment sortir dans la nuit, ce qui leur offre une garantie de tranquillité dans leur chambre à coucher, et une marge de temps assez confortable pour bien se défouler avant l'aube. En outre, comme le voyage astral consiste à sortir de son corps pour voguer avec un esprit fortifié, le danger majeur que redoutent tous ceux qui sortent dans la nuit réside dans la sécurisation de ce corps inerte qui reste allongé à attendre le retour de l'esprit vagabond. Cette carapace gisante constitue sans contredit le talon d'Achille de tous ceux qui *sortent dans la nuit*, en ceci qu'elle peut devenir source d'ennuis dans deux cas précis : *primo*, l'esprit tarde à revenir et le corps trop longtemps abandonné commence à se désintégrer ; *deuxio*, l'esprit revient dans les délais mais retrouve un corps blindé dans lequel il n'arrive plus à s'insinuer. Car il est important de savoir que si un esprit libre peut être viable et se pavaner à sa guise, le corps, lui, obéit à une logique de péremption dès qu'il se retrouve dissocié de son esprit moteur. Il a ainsi été établi qu'un corps humain en léthargie peut tenir au plus dix jours sans son esprit partenaire, passé ce délai il commence à se décomposer, rendant impossible toute réintégration de l'esprit. Le dormeur ne tarde pas à mourir. D'autre part, on a besoin de très peu pour blinder le corps d'un voyageur astral et rendre son retour impossible : il suffit par exemple d'enduire tout son corps de piment aussitôt qu'il s'est endormi ; si son esprit était déjà sorti, tout réveil est compromis. En écrasant du simple piment rouge on obtient en effet un onguent parfaitement imperméable à tout esprit voyageur, lequel se retrouve ainsi en débandade prolongée et le sujet meurt au bout de dix jours, s'il n'a pas reçu entre-temps un bain adéquat. C'est pourquoi il convient de protéger au maximum le lieu où l'on se livre au voyage astral. D'autres types d'impondérables sont à considérer pour l'adepte du voyage astral, certes, mais ils seront plus du fait de ses semblables que des non-initiés. Ce qui est définitivement acquis c'est que les ingénus comme toi, qui pourtant côtoient chaque jour ceux qui comme moi ont le pouvoir de sortir de leur corps pour voguer dans la nuit, n'ont aucune chance de les voir ni de les entendre, aussitôt que la transformation s'est effectuée.

« Au-delà de toutes ces théories un peu rébarbatives, demeure une question concrète : comment se transformer en esprit vivant et rejoindre la communauté de *Ceux qui sortent dans la nuit*. C'est l'examen que devait passer la petite Dodo, et auquel j'entrepris de la préparer dare-dare.

*
* *

Après avoir bu un peu d'eau, Mispa reprit son récit, comme si elle se parlait à elle-même :

« Les souvenirs de ma propre irruption dans cet univers parallèle sont encore très vivaces, dit-elle. Je fus choisie et initiée à l'âge de douze ans par l'une de mes tantes paternelles qui en son temps était la vraie cheftaine de son village. Elle s'y était prise avec une patience digne d'éloges, en m'amenant tout d'abord à m'habituer petit à petit à sa compagnie et surtout à la rechercher. Cela avait commencé avec des compliments par-ci et de petits présents par-là. Jamais elle ne serait revenue de son champ sans me garder de délicieuses goyaves ou une canne à sucre. Si elle partait vendre des bâtons de manioc à la gare, mon paquet de biscuits était garanti. Si elle partait en voyage, c'était au minimum une robe neuve. Elle me faisait appeler à l'autre bout du village pour que je vienne partager ses repas, nous mangions dans la même assiette, et elle me laissait toujours le meilleur morceau de poisson ou de viande. Bientôt nous fûmes inséparables. On allait ensemble à la rivière pour se baigner ou pour contrôler ses nasses ; on était assises côte à côte à la messe du dimanche ; c'est elle qui prenait soin de mes cheveux et faisait mes nattes. Je lui posais mille questions auxquelles elle apportait toujours des réponses simples… A être ainsi considérée par une femme qui était déjà quinquagénaire, j'avais commencé par me prendre moi-même au sérieux. Ma mère acceptait naïvement tout cela, très ravie de n'avoir plus à s'occuper de moi. Quant à mon père, au fond ce n'était pas trop son problème ; je pense que ça l'arrangeait que je sois plus attachée à sa sœur qu'à sa femme. Ma tante, elle, ne perdait pas son temps. Elle manœuvra tellement bien qu'une nuit que je pensais m'être couchée et endormie, je me retrouvai assise à côté d'elle sur une branche au faîte d'un avocatier.

« Tout d'abord je crus que j'étais en plein dans un rêve. Ma tante m'assura que nous étions bien réels, que nous étions effectivement dehors, et que c'était elle qui avait tout organisé. Comme je la regardais, incrédule, elle m'attrapa par le poignet et d'un bond m'entraîna au pied de l'avocatier :

– Regarde, me dit-elle, je vais donner des coups de griffe à cet avocatier et lui enlever un peu d'écorce. Puis je vais cueillir trois fruits que je vais aller cacher sous ton lit. Lorsqu'il fera jour, tu vérifieras tout ça et nous en reparlerons.

« Quand elle eut les trois avocats en main, elle m'emmena devant la case de mes parents. Subitement je la vis passer sous la porte, et je l'entendis qui m'appelait de l'intérieur. Je l'imitai et fus très surprise d'être entrée aussi facilement, sans même avoir ouvert la porte. Il y avait deux chambres : celle de mes parents et celle dans laquelle j'étais censée être endormie à côté de ma sœur aînée. Je percevais nettement les respirations ou les ronflements des dormeurs, surtout que l'entrée de chaque chambre n'était protégée que par un rideau. Ma tante me précéda dans ma chambre et tandis qu'elle rangeait les trois avocats sous le lit, je me penchai au-dessus de mon corps pour m'observer moi-même en train de dormir ! J'étais recroquevillée dans la position du fœtus, et j'avais le pouce dans la bouche comme d'habitude. Il y avait dans un coin de la chambre une lampe-tempête qui restait allumée toute la nuit ; je remarquai très vite qu'elle ne projetait au mur ni l'ombre de ma tante ni la mienne.

— Maintenant tu peux te coucher et te reposer, me dit ma tante. Allonge-toi sur ton corps et tout ira bien. Nous nous reverrons plus tard.

« Je m'exécutais. Aussitôt que je fus couchée, je me sentis moins légère et ma vue se brouilla, je ne parvenais plus à voir ma tante. J'étais tellement fatiguée que je sombrai dans un profond sommeil.

« Il était plus de 9 heures quand je me réveillai le lendemain. Tout le monde était parti au champ et j'étais seule dans la concession. Epuisée, je crus que j'étais en train de tomber malade. Je contournai la cuisine et empruntai la piste qui menait à la fosse d'aisance. Il y avait sur mon chemin un prunier qui produisait les fruits les plus délicieux du canton ; des perroquets venaient s'empiffrer là par dizaines et pour éloigner ces volatiles, on avait installé un épouvantail attifé d'un boubou rouge et d'un chapeau de paille. C'est quand mon regard tomba sur cet épouvantail que je me remémorai les événements de la dernière nuit. Mon besoin se fit moins pressant et je changeai de direction en courant. L'avocatier se trouvait de l'autre côté de la grande piste, vers la sortie du village, je fus rapidement à son pied. Son tronc avait été gratté, comme si l'on s'était servi d'une machette, et des morceaux d'écorce gisaient par terre, épars. J'en ramassai quelques-uns : ils étaient encore tout frais. Je levai les yeux et contemplai un moment les branches du sommet, les petites feuilles qui se balançaient, animées par le vent. Subitement un fruit se détacha et tomba dans un fourré. Je sursautai et fonçai vers ma chambre. Une fois à l'intérieur je me penchai et, sous le lit, je vis trois avocats dodus, comme s'ils n'attendaient que d'être mangés.

« Quand ma tante revint de son champ elle me trouva devant sa cuisine, couchée sur une natte de bambous. Elle m'avait rapporté des cerises, les grosses rouges pleines de jus que j'adorais. Elle me parla de ses deux fils, mes cousins Dadi et Babi âgés de quatorze et seize ans, qui avaient trouvé ce matin une grosse vipère prise dans leurs pièges au bord de la rivière. Je lui parlai de mon désir d'apprendre à préparer des bâtons de manioc. Nous enchaînâmes ainsi d'autres banalités jusqu'à l'heure du repas, au terme duquel nous nous séparâmes. Je terminai ma journée comme d'habitude entre ma mère et ma sœur.

« La nuit arriva et je fus la première à aller me coucher. Je me repliai au fond du lit, contre le mur, et me recouvris complètement du drap pour que ma sœur me laisse tranquille. Le sommeil me happa sans tarder et pendant un moment ce fut le trou noir. Tout à coup j'eus la sensation de me réveiller et je décidai de me lever. Je me sentais tellement légère que je finis par constater que j'étais en lévitation. En regardant mon lit je me vis coincée là-bas contre le mur, toute petite, intégralement recouverte d'un drap blanc. Cela me fit sourire. Comme notre petit rideau de toile était parsemé de trous, je le traversai sans peine et me retrouvai dans le salon. Mon père était là, assis sur un banc. Il avait fini de manger et avait repoussé ses assiettes sales, qui étaient à même le sol à côté de sa lampe-tempête. Maintenant il était occupé à attacher en petits fagots les morceaux de racine rouge que l'on utilise d'ordinaire pour relever le goût du vin de palme. Je sautillai devant lui, dansai même un peu d'*assiko* sans qu'il daigne me prêter la moindre attention. Il ne me voyait pas. Je passai par la fenêtre et bondis au-dehors. Comme il y avait encore de la lumière dans la cuisine de ma mère, je décidai d'aller y jeter un coup d'œil. J'entrai par la porte, puisqu'elle était ouverte, et je m'assis dans un coin. Ma sœur cassait des pistaches en attendant ma mère qui mettait des morceaux de manioc dans une cuvette pleine d'eau pour qu'ils fermentent. Il y avait un chat qui avait l'habitude de flemmarder au bord du feu ; quand j'étais entrée j'avais remarqué qu'il avait vivement levé la tête. Il s'étira et commença à se diriger vers moi en me fixant de ses gros yeux brillants, comme s'il me voyait... Soudainement il miaula avec férocité et ses poils se hérissèrent, ce qui me tétanisa. Heureusement, ma mère lui envoya un morceau de manioc et il se sauva. Ces deux femmes ne me voyaient manifestement pas, elles non plus. Je m'échappai de cette cuisine et errai un peu dans la cour. Beaucoup de gens étaient encore éveillés dans le village, à travers les fenêtres des cuisines et des salons on voyait la lueur des lampes-tempête. Par contre je constatai que la cuisine de ma tante était déjà fermée et cela me donna une idée : je me dirigeai d'un pas résolu vers l'avocatier. Il faisait une nuit bien noire, mais moi je voyais assez clairement. Arrivée au pied de l'arbre, avant même que je ne lève la tête, j'entendis une voix bien familière qui me dit : « monte ».

— Alors, comment tu as trouvé notre petite expérience d'hier ? me demanda ma tante en m'accueillant auprès d'elle sur une branche.

— C'est bizarre, les avocats étaient bien sous mon lit, répondis-je. Mais pourquoi suis-je en même temps couchée dans ma chambre et perchée sur un arbre ?

— C'est pour t'expliquer ce qu'il se passe que je suis venue t'attendre ici, mais d'abord je te le demande : pourquoi est-ce seulement maintenant que tu me poses cette question-là alors que nous avons passé l'après-midi ensemble ?

— Je ne sais pas... alors même que de toute la journée je n'ai cessé de penser à ce qui était arrivé. C'est curieux, non ?

— Non, c'est parfait. Ma petite Mispa, il se passe que depuis hier tu n'es plus la même personne. Désormais chaque nuit tu seras une *ewusu*, c'est-à-dire que tu auras le pouvoir de sortir de ton corps et de faire absolument tout ce que tu voudras. Le fait que tu ne m'aies rien demandé dans la journée alors que tu en as mille fois eu l'occasion m'a beaucoup rassurée ; cela atteste que ta transformation s'est bien déroulée et que tu es définitivement des nôtres, car les *ewusus* ne parlent jamais de leurs histoires en plein jour, même entre eux. Pour mener à bien cette mutation et obtenir ce résultat, je t'ai fait absorber neuf décoctions différentes, à ton insu. Selon les cas je les diluais dans tes repas ou dans tes boissons. Les huit premières décoctions, à consommer dans un ordre très précis, sont celles qui confèrent la possibilité de sortir de son corps. La dernière est celle qui te retient la langue et empêche que tu ne parles de ce que tu as fait ou vu faire dans la nuit. Les posologies de ces décoctions relèvent de notre patrimoine culturel, que nous aurons avantage à savoir conserver et transmettre. C'est grâce à tout cela qu'il t'est loisible de te retrouver aujourd'hui à prendre l'air au sommet d'un avocatier alors que, en même temps, on peut te voir sagement couchée dans ta chambre. Dorénavant, aucun de tous ces gens simples que tu croiseras dans la journée ne pourra plus rien contre toi dès que la nuit sera tombée, et seul un ou une *ewusu* comme toi pourrait te stopper.

— Donc il y a aussi des hommes *ewusus* ?

— Bien sûr. Dans chaque village il y a toujours une poignée d'*ewusus* qui vivent incognito parmi les leurs. Ils sont les seuls à savoir qui est vraiment qui, et ils se retrouvent chaque nuit quand dorment les honnêtes gens. Leur rôle depuis des siècles consiste à veiller sur le reste de la communauté et à protéger les intérêts du village. Ils peuvent aussi être amenés à s'en prendre à des hommes ou à se dresser contre d'autres *ewusus*. En cela réside la noblesse du statut d'*ewusu*, même s'il y en a qui s'écartent parfois du droit chemin. Depuis hier, tu as pu toucher du doigt quelques-unes des capacités qui sont celles d'un *ewusu* : l'invisibilité devant les hommes, l'extrême mobilité, la force physique, l'élasticité. Il y en a d'autres que tu découvriras progressivement, et il s'agira alors pour toi de travailler pour améliorer ton potentiel, l'idéal étant que tu parviennes correctement à contrôler toutes ces forces. Lorsque tu arriveras par toi-même à savoir comment on se retient de sortir dans la nuit quand on n'en éprouve pas le besoin, alors tu seras mature.

— Je ne serai donc pas obligée de sortir toutes les nuits ?

— Pour le moment tu seras dehors toutes les nuits, ce sera automatique puisque tu en es à tes débuts. Dès qu'il fera nuit tu ressentiras l'impérieux besoin d'aller te coucher, et aussitôt que tu auras fermé l'œil le processus se déclenchera. C'est peut-être inquiétant mais il faut savoir retenir le bon côté de chaque chose : cela te donnera le temps de t'exercer et de t'aguerrir, car crois-moi il y a beaucoup à apprendre. Moi-même qui te parle j'ai dû sortir pendant cinq ans nuit après nuit, sans en manquer une seule, pour enfin arriver à maturité et à savoir faire l'impasse. Mais rassure-toi, tant que je suis là tu n'as rien à craindre. Je serai doublement disponible pour toi : le jour je te couverai dans le village comme une tante, et la nuit je serai ta marraine dans l'univers caché des *ewusus*. C'est un sérieux avantage que beaucoup n'ont pas eu, ce qui explique peut-être certains dérapages.

— Le chat m'a fait peur tout à l'heure dans la cuisine de ma mère. Je ne l'avais jamais vu comme ça !

— C'est plutôt lui qui ne t'avait jamais vue comme ça, innocente. Il y a certains animaux qui arrivent à nous voir et entre tous je te conseille d'éviter les chats, autant que possible. Ce sont des animaux dangereux et pas seulement pour nous. Tu as autre chose à me demander ?

— Pour le moment, non. J'essaye juste de me faire à ma nouvelle vie.

— Tu en es fière, au moins ?

— Euh… oui, du moment que tu en es l'instigatrice.

— Tous les jours je me félicite de t'avoir choisie, toi plutôt qu'une autre. Il y a dans ton tempérament une retenue et une pudeur qui sont remarquables pour ton âge. Des vertus entre toutes essentielles pour un *ewusu*. J'espère que tu ne changeras pas en grandissant... Bon, il est temps que tu rentres. Tu n'es pas encore assez forte pour tenir toute la nuit dehors. Redescendons, que je puisse te raccompagner avant d'aller palabrer avec des amies.

« Pendant tout un mois je retrouvai ma tante sur notre avocatier dès la nuit tombée. Elle m'expliqua les codes et les règles de base en vigueur chez les *ewusus*. Elle m'entraîna à me déplacer avec plus d'efficacité sur terre, dans les arbres, dans les airs et sur l'eau. Elle me montra quelques écorces médicinales et des végétaux comestibles, mais dont certaines combinaisons donnaient des substances extrêmement vénéneuses. Au cours de cette période, qui me servit chaque nuit à mieux assimiler les étonnantes facultés qui étaient désormais les miennes, je m'investis à la réappropriation de mon environnement qui me semblait tout à coup beaucoup plus vaste. Ma tante me recommanda de ne pas m'éloigner des cases du village, afin de m'éviter des rencontres imprévisibles. Je me contentais donc de ce périmètre de sécurité que je parcourais dans tous les sens, marquant des arbres et multipliant des actes de cueillette normalement impossibles pour une personne simple. Encouragée par mon mentor, je me permis même quelques raids solitaires qui me donnèrent confiance.

« Une nuit que je rentrais d'une tournée de maquis après quelques arabesques de toit en toit, je trouvai ma tante qui m'attendait, assise devant l'entrée de notre case.

– Mispa ma chère enfant, tu es admirable, me dit-elle en me signifiant de m'asseoir. Voilà à peine un mois que tu sors toute seule et déjà tu t'es constitué un territoire. Tu as doublé la durée moyenne de tes sorties et tu gères de mieux en mieux la lassitude matinale. Je t'ai espionnée cette nuit et j'ai pu apprécier avec quelle justesse tu travailles ton camouflage. Quant à tes déplacements, ils sont exemplaires. Mais plus que tout je suis impressionnée par la retenue de ton comportement dans la journée, l'humilité avec laquelle tu sais faire profil bas... Pas une fois je ne t'ai surprise essayant de prolonger dans la nuit une querelle de la journée. Tant de qualités à ton âge, c'est très rare. Tu es douée. Je pense que tu mérites de franchir un nouveau palier. C'est pourquoi j'ai décidé de te faire entrer dans la cour des grands en te présentant cette nuit même aux autres *ewusus* de ce village. Une palabre se tiendra sur le grand baobab qui trône à l'entrée du village ; il y aura réunis sur les branches tous ceux qui comme nous sortent dans la nuit. Ce sera pour toi l'occasion de rencontrer des gens que tu connaissais autrement. Et en écoutant les aînés ficeler des choses qui concernent la population dans son ensemble, tu appréhenderas mieux l'évolution des intérêts dont la gestion conditionne l'équilibre du clan tout entier. Maintenant partons, je préfère qu'on arrive avant les autres. Ça pourrait t'intimider de les trouver déjà assis.

« Nous fûmes très vite arrivées. Le majestueux baobab trônait, campé sur des contreforts imposants, en ce lieu lugubre même en plein jour. De chaque coin du village on pouvait admirer son large tronc plusieurs fois centenaire. Je m'installai à côté de ma tante sur une branche tentaculaire perchée à une telle hauteur que je dus fermer les yeux, saisie par le vertige. J'avais l'impression que les cases et les autres arbres tournoyaient autour de nous. Soudain je perçus de nombreuses silhouettes sur les branches voisines, et même une personne assise juste à ma gauche. Tous commencèrent par se regarder attentivement les uns les autres, en silence, comme s'ils se voyaient pour la première fois. Je fis de même et je les reconnus tous : c'étaient des gens censément ordinaires du village. Il y avait même un diacre, celui qui nous enseignait chaque dimanche des comptines religieuses au presbytère. Nous étions onze sur le baobab, dont quatre hommes. La première chose que j'en déduisis fut qu'il y avait dans le village des familles dans lesquelles on ne comptait aucun *ewusu*, puisque notre clan regroupait seize grandes familles. J'attendis que l'on me pousse au centre de l'assemblée pour me présenter solennellement, ou que l'on demande à ma tante de le faire à ma place, comme cela se passe d'ordinaire pendant les palabres. En vain. Ils commencèrent les délibérations en m'ignorant comme si j'étais transparente pour eux. Mais moi je les voyais bien et surtout je les écoutais. Durant cette palabre qui ne s'éternisa pas, deux cas furent abordés.

« D'abord le cas Ngo Ndongo. Ngo Ndongo était une jeune femme du village qui, après d'interminables problèmes conjugaux dans un village voisin, avait décidé de quitter son mari pour regagner la case paternelle. Elle avait emmené avec elle son fils âgé de deux ans et c'est pour ce bambin que les deux familles s'affrontaient dans un conflit qui était sur le point de dégénérer en guerre des clans. Deux *ewusus* furent désignés pour mettre un terme à ce litige.

« Ensuite le cas Bilong. Bilong était un jeune chasseur apprécié de tous. Son beau-père, qui venait de très loin, était arrivé dans notre village pour une visite de courtoisie qui durait déjà depuis deux mois et se serait poursuivie sans histoire si ce beau-père n'avait été aperçu la nuit dernière sur une toiture. Bilong hébergeait donc chez lui un *ewusu* allogène qui se sentait assez fort pour prendre le risque de sortir la nuit en territoire inconnu : il ne pouvait qu'être dangereux. Trois autres *ewusus*, dont ma tante, furent chargés d'aller y mettre bon ordre.

« Après ce conciliabule de baobab, on se dispersa et je m'en fus tout droit me coucher. Lorsque je me réveillai le lendemain, il y avait des pleurs partout dans le village : le fils de Ngo Ndongo était mort.

« Je me précipitai dans la cuisine de ma tante. Ses deux garçons, mes cousins Dadi et Babi, me dirent qu'elle était partie assister la jeune femme endeuillée. En effet tout le monde convergeait vers la case où était étendu le corps de l'enfant, dont la maman était inconsolable. Totalement dépoitraillée, elle se roulait par terre et lançait des cris déchirants. Il ne fallait pas moins de quatre femmes pour la retenir, et ma tante était du nombre. Ma chère tante ne me lança même pas un regard de connivence quand elle me vit, semblant complètement emportée dans une douleur communicative. Le comité du deuil se mit peu à peu en place avec les femmes à la cuisine, les jeunes hommes qui creusaient la tombe, les plus jeunes à la recherche du bois et de l'eau pour les cuissons, et les notables à la palabre sous un manguier. Dans un coin isolé de la cour était regroupée la belle-famille de Ngo Ndongo, avec au centre un homme totalement abattu qui ne pouvait qu'être le père de l'enfant. Je furetai partout et bientôt je dénombrai sur les lieux du deuil tous ceux que j'avais vus la nuit passée au sommet du grand baobab. Tous ces *ewusus* étaient présents, y compris le diacre et les deux qui avaient été mandatés pour s'occuper du cas Ngo Ndongo. Ils avaient exécuté la sentence avec diligence et froideur, et maintenant ils assistaient au deuil comme tout le monde. En regardant leurs visages affectés, personne n'eût douté de leur sincérité.

« Ça me faisait tout drôle de penser que moi, Mispa, petite fille insignifiante du village, *je savais*. Je me demandais aussi comment ils avaient procédé, tout en me doutant que pour la méthode ils n'avaient eu que l'embarras du choix. Quand on a accès à la chambre d'autrui, qu'on est invisible et qu'on est fort comme un buffle, nulles sont les chances de survie d'un bébé endormi ... Et puis il y avait aussi le beau-père de Bilong, cet *ewusu* venu de loin dont on se méfiait. Trois cerbères avaient été désignés pour son cas. Depuis le matin je n'avais rien entendu à son sujet mais, quand on voyait ce qu'il était advenu du pauvre petit enfant, on pouvait s'inquiéter pour lui.

« Je refis le tour des pleureuses et des bavards, scrutant chaque groupe de personnes. Il n'y avait ici ni Bilong ni son beau-père. Comme ils n'habitaient pas loin, je décidai d'aller voir. Je les croisai à mi-chemin qui se dirigeaient vers le lieu du deuil. A priori le beau-père se portait bien, il semblait même d'excellente humeur. Je l'avais déjà rencontré plusieurs fois depuis qu'il était dans le village, c'était un brave type qui s'exclamait bruyamment et avait le contact facile. Je les saluai avec respect. Ils étaient en train de manger des grains de maïs grillés dont ils m'offrirent une poignée avant de passer leur chemin. Je restai là à me demander s'il était possible que cet aimable beau-père sût que la petite fille qu'il venait de rencontrer était *ewusu* comme lui, et surtout s'il avait déjà croisé la route des trois qui lui avaient été envoyés.

« En rejoignant un groupe de filles de mon âge qui aidaient à décortiquer des arachides dans la cuisine du deuil, je me dis ce jour-là que ma vie d'*ewusu* n'allait peut-être pas être aussi angélique que je l'avais pensé.

« Quand la nuit tomba je fis comme d'habitude. Ma tante m'intercepta avant que je m'éloigne de ma chambre.

– Ohé Mispa, me héla-t-elle. Je suis venue te dire de ne pas t'éloigner d'ici et même de ne pas t'attarder dehors ces prochaines nuits tant que l'enterrement et la cérémonie des adieux ne sont pas passés. Parce que lors des deuils trop de gens d'horizons divers sont réunis, il y a fatalement un surcroît d'*ewusus* en balade, dont certains peuvent être obnubilés par un désir de vengeance. Ils pourraient s'acharner sur une proie facile comme toi s'ils te croisaient, on ne sait jamais. Alors prudence. Quand le deuil sera passé et que le paysage se sera éclairci, nous nous retrouverons pour parler en toute quiétude de toutes ces questions qui te trottent dans la tête. Maintenant je dois retourner dans la maison du deuil où j'ai tant à faire : il y a la malheureuse Ngo Ndongo à réconforter, la cuisine à coordonner et tous ces notables paresseux à nourrir. Ceux-là, on dirait que ça les arrange qu'il y ait tout le temps des deuils. A bientôt.

« Je fus obligée de suivre ses judicieux conseils. Avec ce que les *ewusus* de mon village avaient fait au fils de Ngo Ndongo, il ne fallait pas risquer de tomber entre les mains des *ewusus* du village rival.

« Quatre nuits passèrent, tranquilles. La cinquième nuit, ma tante dut venir me chercher sur le toit de notre case que je n'osais plus quitter. Elle m'entraîna

41

jusqu'au grand baobab où nous nous installâmes sur des contreforts :

— Tu vois, nous n'avons croisé personne alors que nous venons de traverser une partie du village, commença-t-elle. Après la cérémonie des adieux les gens ont commencé à se disperser. La paix est de retour et on peut enfin se mouvoir dans la nuit sans avoir à réserver des arbres. Maintenant qu'il est possible de causer en toute sérénité, je suis toute disposée à répondre à tes questions.

— Justement : qu'est-il arrivé au fils de Ngo Ndongo ?

— Ne fais pas l'idiote, je te sais assez clairvoyante pour avoir déjà compris. A moins que par le refus d'admettre l'évidence tu ne veuilles te convaincre que tu n'es pour rien dans la mort du petit, ce qui n'est pas totalement faux.

— Mais c'est totalement vrai, je ne suis pour rien dans sa mort !

— Ah bon, et que faisais-tu donc cette nuit-là sur le baobab en compagnie de tous les *ewusus* de ce village qui prononçaient des sentences de mort ?

— Mais personne ne s'est préoccupé de ma présence, on ne m'a même pas passé la parole !

— Soit, mais le fait est que tu étais bien présente. Mispa, je m'en voudrais que tu te sentes coupable, mais avoue quand même que posséder une telle information n'est pas innocent.

— C'est donc ça, être *ewusu* ?

– Non, je te défends de le penser. Je reconnais que tu es arrivée au grand baobab à un moment difficile, parce que cette nuit-là il fallait prendre une décision douloureuse. Et surtout il fallait des gens pour aller l'exécuter. Ce n'est pas pour autant que toutes les palabres secrètes ici au baobab sont dédiées à des sentences de mort ! Et puis vois-tu, un problème sérieux a vraiment été résolu. Car avec l'enfant comme enjeu, un garçon en plus, ces deux familles n'allaient pas cesser de s'agresser, et le jeu des alliances aidant, le conflit se serait étendu aux clans. Et il n'y a rien de pire qu'une guerre de clans chez nous, avec tous ces gens qui agitent des machettes dans la journée et ceux qui ont la capacité de prolonger les combats dans la nuit. Maintenant qu'elles n'ont plus rien à se disputer, les deux familles vont d'abord se rejeter mutuellement la responsabilité du décès, avant de commencer à s'ignorer pour finir par passer à autre chose. Au pire on aura à gérer la haine entre les deux géniteurs de l'enfant, ce qui est de loin préférable à l'embrasement de deux villages voisins pleins de sorciers.

– Peut-être bien… mais vous voir tous au deuil avec des mines d'enterrement, comme si de rien n'était, ça m'a quand même déplu !

– Ah, je vois. Quand ton tour viendra, parce qu'il viendra, tu auras beau jeu de te tenir pudiquement à l'écart. Tu feindras de ne pas voir qu'il y a deuil dans le village et tu iras même au champ en passant devant tout le monde avec ta hotte au dos. Mais sache que ce sera plus simple de t'écrire toi-même *ewusu* en plein front. Et tu sais ce qui arrive quand quelqu'un est à tort ou à raison désigné comme sorcier dans un village : c'est toute la population qui se lance à ses trousses avec des gourdins et des pierres pour le lyncher, et les vrais *ewusus* sont toujours les premiers à frapper. Moi je ne suis pas suicidaire. Et d'ailleurs qu'est-ce qui te permet d'affirmer que mes larmes n'étaient pas sincères l'autre jour au deuil...

– N'en parlons plus. Qu'en est-il du beau-père de Bilong ? Je l'avais vu ce matin-là, il était sain et sauf et il l'est encore aujourd'hui.

– S'il fallait une preuve que nous ne sommes pas des sanguinaires qui pensent uniquement à trucider des gens, en voilà une ! Pourtant le beau-père, qui est un grand *ewusu* de la vallée du Ntem, était bien fragile la nuit où nous l'avions surpris. Car sache pour ta gouverne que lorsqu'un *ewusu* se retrouve loin de son territoire natal, ses pouvoirs sont altérés et il devient vulnérable à la moindre attaque. Dans cette situation-là il ne peut jouir de toutes ses capacités que s'il est cornaqué par un *ewusu* autochtone, qui le protège. Tel n'était pas le cas du beau-père, qui avait pris le risque de sortir dans la nuit ici, chez nous. Nous l'avons très vite localisé et encerclé, à trois contre un il était totalement à notre merci. Mais puisqu'il n'y avait jusque-là rien contre lui depuis qu'il était parmi nous, cela a favorisé le dialogue et il a su nous convaincre de ses intentions pacifiques. Pour prendre quand même quelques précautions, nous avons décidé de le mettre sous la tutelle d'une *ewusu* locale, qui est aussi une femme seule dans sa vie normale. On peut parier que le beau-père, qui est veuf depuis des années et qui est encore capable, emménagera d'ici peu dans la case de sa marraine et qu'on ne les verra plus désormais l'un sans l'autre.

– Je comprends pourquoi il était si joyeux l'autre jour.

– Et il y avait de quoi car il est aujourd'hui doublement gagnant, le bougre : il s'est trouvé une compagne, et la présence protectrice de celle-ci lui garantit l'intégralité de ses pouvoirs qui sont considérables. Mais il connaît bien les risques, le beau-père : le jour même où sa compagne se plaint de lui, par exemple s'il la quitte pour une autre femme du village, il est perdu.

– S'il n'y avait eu la mort de l'enfant, mon premier passage sur ce baobab serait presque un conte de fées.

– Cesse donc de t'inquiéter. Si les gens qui n'ont que douze ans comme toi peuvent déjà éprouver du regret, où donc nous mettre, nous autres ? Tu peux rester là à pleurer sur ton sort, ça te regarde. Mais je tiens à te prévenir que rien ne te sera plus pardonné car tu seras toujours au moins coupable d'être une *ewusu*. Ce qui serait important pour le futur c'est que tu parviennes à trouver un certain niveau de paix avec toi-même, autant que faire se peut. C'est pourquoi il faut maintenant que tu sois deux fois plus vigilante, car désormais intégrée dans le grand cénacle des *ewusus* du village, tu seras tôt ou tard appelée à agir. Dans notre milieu, les décisions se prennent très vite et les actions sont si fulgurantes que si tu n'es pas capable de choisir ta position après une rapide synthèse, tu te retrouves embarquée dans des coups qui servent plus les intérêts des autres que les tiens, mais dont tu dois quand même répondre. Comme tu n'auras pas souvent la chance d'avoir du recul face aux situations, tu dois donc apprendre à sentir les choses intuitivement. Il te faut développer un instinct auquel tu auras recours dans les cas d'urgence, qui sont les plus courants. C'est ta seule chance de rester toi-même. Sinon je te garantis que bientôt tu ne pourras même plus te mirer dans une mare. Bonne nuit.

« Après quelques mois on nota effectivement une certaine accalmie entre les deux villages voisins, et même une vraie détente lorsque des mariages recommencèrent à se nouer de part et d'autre. On tint des palabres festives au cours desquelles les notables des deux côtés surent trouver des mots d'apaisement entre une bouchée de varan et une gorgée de vin de palme. Entre-temps, le beau-père de Bilong s'était imposé comme le concubin idéal. En une seule matinée il pouvait couper, porter et ranger du bois de cuisson pour tout un trimestre. En plus il travaillait au champ comme une machine, défrichant, brûlant et sarclant avant tout le monde. Il poussait même la conscience jusqu'à prendre la houe pour semer des arachides, alors que c'est une tâche traditionnellement dévolue aux femmes. Après tout cela il lui restait encore du temps libre, qu'il eût volontiers consacré à aider un peu les femmes du voisinage s'il n'avait craint d'irriter sa belle concubine.

« Après ces épisodes, ma vie d'*ewusu* prit son essor. Je pris part à d'autres palabres sur le baobab, où je fus peu à peu acceptée et conformément aux prédictions de ma tante je me retrouvai dans des actions concertées. Ma toute première mission, que je remplis en compagnie du diacre, consista à éprouver physiquement un cultivateur qui était l'homme le plus nuisible du village. En créant des champs dans tous les coins, il avait réussi l'exploit d'être mêlé à tous les litiges fonciers en cours, et il narguait tout le monde en refusant de se soumettre aux arbitrages du tribunal coutumier. Une nuit qu'il rentrait de beuverie, nous abattîmes et projetâmes un arbre sur lui. Le choc ne fut pas mortel mais cet emmerdeur s'en tira quand même avec une double fracture tibia-péroné et de sérieuses écorchures. Je fus assez satisfaite de ce travail mené avec précision. Les assemblées générales des *ewusus* du village n'étant pas régulières – une ou deux par trimestre tout au plus – je ne fus pas trop demandée sur le baobab, ce qui ne m'empêcha pas de participer à quantité d'expéditions collectives.

« Affirmer maintenant que je suis fière de toutes les actions de ma longue carrière serait faux, je préfère dire que je les assume toutes. Je n'ai pas longtemps bénéficié de l'encadrement de ma tante, qui mourut en 1948 alors que je n'avais que quinze ans. A l'époque où cette vénérable parente me quitta, j'avais déjà quelques faits d'arme à mon actif, mais je n'avais encore rien commis d'irréparable. Je n'ai jamais cessé de me demander comment j'aurais tourné si elle avait été à mes côtés jusqu'à ma maturité. Mais cessons d'épiloguer sur mon sort, car aujourd'hui il ne s'agit pas de moi.

*
* *

Mispa se tut et ferma les yeux, tentant de conjurer un passé que je devinais lourd. Je respectai son silence. Elle reprit la parole.

« Quand l'entrée en scène de Dodo se précisa, poursuivit-elle, je me promis d'être encore plus prévenante à son endroit que ne l'avait été ma tante pour moi. Je priai aussi le ciel pour qu'il m'accorde longue vie afin que je puisse conduire ma petite-fille au moins jusqu'à sa maturité.

« Pendant des décennies j'avais été idéalement placée pour voir la différence qu'il y a entre une famille qui compte un *ewusu* en son sein et une famille qui n'en a pas. Ni ma sœur aînée ni moi-même n'ayant eu le bonheur d'avoir des filles, et parce que ces choses-là se transmettent mieux entre personnes du même sexe, j'ai dû à chaque naissance de mes petits-enfants reporter mes projets de transmission. L'idée d'être la dernière *ewusu* d'une longue lignée ne me plaisait pas. Lasse d'attendre, inquiète et même tourmentée, j'étais déjà sexagénaire et sur le point d'abandonner tout espoir quand Dodo me tomba du ciel. Autant te le dire : à sa naissance je l'accueillis comme un ange que la Providence m'avait offert. Pour moi c'était clair depuis le premier jour : j'avais le devoir de l'initier et rien ne devait venir entraver sa marche triomphale. L'accident du pick-up et sa survie miraculeuse ne vinrent que consolider mes convictions. Moins de dix jours après sa sortie d'hôpital, Dodo avait déjà ingurgité ses neuf décoctions et était prête pour sa première sortie nocturne.

« Elle grimpa aux arbres avant même de savoir marcher, imagine ! En effet les premiers mois furent exceptionnels, Dodo vécut ses deux apprentissages avec un talent saisissant. Elle trouvait naturel de ne pas pouvoir monter trois marches d'escalier à midi, et d'arriver toute seule à se hisser au sommet d'un cocotier à minuit. Elle avait l'avantage de m'avoir à son service à chaque instant dans les deux phases de sa vie, et cela se révéla si déterminant qu'elle assista à sa première assemblée générale des *ewusus* du village avant son deuxième anniversaire. Elle ne savait même pas encore parler ! On n'avait jamais vu un bébé siéger dans un cénacle de baobab et Dodo ne tarda pas à se faire une réputation. On parlait d'elle toutes les nuits, même sur les baobabs des villages voisins, elle était devenue une véritable star. Cette popularité ne me plaisait pas, car il ne se passait plus une nuit sans que des *ewusus* de toutes les catégories viennent à sa rencontre. Il y avait des enfants qui voulaient jouer avec elle, des curieux qui désiraient la tester, et même des notables qui parlaient de la célébrer ! Je devais exercer une surveillance de tous les instants, car avec les princes de la nuit le coup tordu n'est jamais bien loin. Dodo répondait à toutes ces sollicitations, ce qui m'inquiétait. Je m'en voulais parfois d'avoir ainsi exposé ma petite-fille, de l'avoir précipitée trop tôt dans un monde où les gens sont d'autant plus implacables qu'ils ont tous les moyens de leurs ambitions. Mais, entre nous, qui à ma place eût attendu avant de l'enrôler... Quand on a soixante-cinq ans, c'est insensé voire imbécile de remettre ses projets à demain.

« S'il ne s'était agi que de gérer les effets pervers de la célébrité de Dodo, je pense que je m'en serais honorablement tirée. J'ai fait mes preuves dans ce village et depuis longtemps les gens y regardent à deux fois avant de décider de me contrarier. Seulement, au fur et à mesure que la petite progressait et acquérait de l'expression orale, un détail apparut qui se révéla bientôt catastrophique : Dodo *parlait* !

« Oui, Dodo parlait de tout et n'importe quand. Je tombai des nues un jour en plein déjeuner quand je l'entendis mélanger innocemment des faits dont certains relevaient de sa vie secrète et d'autres qui appartenaient à sa vie normale. J'eus ce jour-là toutes les peines du monde à masquer ma panique devant cette enfant qui ne mesurait pas l'étendue du désastre qui pointait. Je tentai de me rassurer en me répétant que j'avais dû mal entendre. Après tout je n'étais plus qu'une vieille dame qui n'avait peut-être plus toutes ses oreilles, et qui s'embrouillait en voulant surprotéger son unique petite-fille. Tous mes doutes s'évanouirent malheureusement lorsque survint l'affaire du zona.

« J'ai encore des tremblements aujourd'hui quand je pense à cette affaire, qui commença pourtant banalement. Dodo avait un peu plus de trois ans et chaque nuit je la soumettais à un exercice différent. Cette nuit-là je l'avais traînée au pied d'un prunier et son épreuve consistait à monter et à me ramener deux fruits que j'avais marqués d'une croix, et elle avait pour cela un délai de cinq minutes. Le prunier était surchargé de fruits et de feuilles mais la tâche s'annonçait difficile parce que cet arbre avait toujours été couvert de fourmis noires. Dodo se jeta dans le feuillage. Avant la deuxième minute elle avait tout le dos couvert de fourmis qui la mordaient à qui mieux mieux, mais elle ne se découragea pas. Elle me ramena mes deux prunes en geignant, mais dans les délais. Le lendemain matin en lui donnant son bain je remarquai qu'elle développait une allergie prurigineuse qui lui couvrit bientôt le dos de petits boutons. Rien d'extraordinaire, pensai-je. Il arrive que les déconvenues subies dans la nuit par un *ewusu* aient des répercussions dans sa vie normale. Si avec ça Dodo pouvait comprendre que ses deux vies étaient liées, alors pour moi l'expérience serait concluante. Je lui massai le dos avec du miel. Deux jours plus tard, non seulement les boutons n'étaient pas partis mais en plus ils s'étaient tuméfiés et infectés. Je fus obligée de l'emmener à l'hôpital. Le médecin me rassura tout de suite en me disant que c'était un zona, qu'il allait faire une piqûre à

Dodo et qu'elle n'allait pas tarder à s'en remettre. En lui tapotant la joue, il demanda alors à la petite comment elle avait attrapé cette infection. C'était pour lui une blague qui n'attendait même pas de réponse. J'entendis subitement Dodo dire au médecin que des fourmis l'avaient mordue parce qu'elle était montée au sommet d'un prunier. Le toubib s'esclaffa longuement, très loin de se douter que ce qu'il venait d'entendre était la vérité. Pour faire diversion je dus rigoler avec lui et nous plaisantâmes jusqu'au perron de l'hôpital où il nous raccompagna. Fort heureusement il ne s'occupa pas de mon cœur ce jour-là, car il eût à coup sûr constaté que j'étais au bord de l'apoplexie.

« C'était le désastre !

« Jamais je n'avais été confrontée à un tel cas de figure. Me dépêchant d'évacuer tout affolement, je me plongeai dans l'examen méthodique de la situation. D'hypothèses en conjectures je fus bien obligée d'admettre que la neuvième décoction n'avait pas eu d'effet sur cette fille. C'est cette décoction-là qu'on administre en dernier lieu à l'aspirant *ewusu* et qui l'oblige à tenir sa langue, l'empêchant durant toute sa vie d'évoquer en journée tout ce qu'il voit ou fait pendant la nuit. Pour une raison qui m'échappait encore, Dodo était insensible à un breuvage qui avait toujours donné satisfaction. Une seule déduction permettait d'expliquer cela : si l'expression orale de l'enfant n'avait pas été inhibée par la neuvième décoction, c'était parce que, au moment de son initiation, elle ne parlait pas encore. Elle bénéficiait donc d'une sorte de vide initiatique. Cela établi, il convenait maintenant de parer au plus urgent : organiser la protection de Dodo. Car si un seul *ewusu* apprenait qu'il y avait dans le pays une personne qui avait accès aux secrets de la nuit et qui en parlait, Dodo était perdue.

« Je m'attaquai tout d'abord au problème en administrant de nouveau la neuvième décoction à Dodo. Echec sur toute la ligne : au moindre sondage matinal elle me balançait intégralement tout ce que je lui avais fait faire durant la nuit. Et en plus elle se révélait être d'un naturel volubile, comme si on n'avait pas assez de soucis. Je renouvelai trois fois l'expérience et dus me résoudre à abandonner, dépitée, afin de ne pas exposer l'enfant à une overdose de brouet alambiqué d'écorces. Il ne me restait donc plus qu'à reprendre toute l'éducation de Dodo à zéro, en lui indiquant ce dont on pouvait parler et surtout ce qu'on ne devait pas évoquer. La situation était tellement grave que je pris une première mesure conservatoire : du jour au lendemain elle cessa d'aller à l'école maternelle. J'étais obligée d'en arriver là, en attendant de mettre au point une stratégie de défense sérieuse.

« A ce stade, sa vie d'*ewusu* n'avait aucun problème puisque dans la nuit Dodo jouissait de tous les droits. Elle continua donc de voguer d'arbre en arbre et je décidai de lui lâcher un peu plus la bride pour compenser les nouvelles restrictions qui s'imposaient dans sa vie normale. Son existence se déséquilibra ainsi petit à petit au profit de sa vie occulte, qui se densifia à un point tel que Dodo commença systématiquement à rester dehors toutes les nuits jusqu'au petit matin. Il faut savoir que c'est un niveau de performance qui n'est pas accessible avant au moins une décennie de rodage. A l'âge de cinq ans, Dodo pouvait enchaîner dehors deux semaines nuit pour nuit, sans être en surrégime. Moi-même je commençais à avoir de la peine à la suivre. Elle présentait des aptitudes phénoménales qui lui permettaient par exemple d'aller à Yaoundé par ses propres moyens et d'être de retour avant le lever du jour, ce qui constitue une escapade de plus de quatre cents kilomètres ! J'en eus la preuve quand elle me sema une nuit au voisinage de la gare ferroviaire et revint ici quelques heures plus tard pour m'annoncer que le train avait heurté deux personnes. Vérification faite, il y avait effectivement eu un accident sur les rails vers Mbalgong, un faubourg de Yaoundé.

« Pendant deux ans je gardai Dodo à la maison, pas en réclusion mais presque. Je la laissais parfois sortir – juste assez pour que les gens ne jasent pas trop – et je n'étais jamais bien loin quand elle s'amusait avec d'autres filles de son âge. Avec le temps elle avait fini par intégrer le fait qu'il n'était pas bien que certaines choses fussent racontées aux amis de la journée, mais je n'étais pas sûre à cent pour cent. Alors je me débrouillais pour qu'elle ne se retrouve pas en position de dialoguer avec tout individu de plus de dix ans d'âge. Je réussis tant bien que mal à la contenir pendant un certain temps.

Comme je ne pouvais pas éternellement la garder en marge du système scolaire sans risquer qu'on vienne me l'arracher ici, je m'en fus la réinscrire à l'école publique du village en 2009. Dodo avait alors sept ans, et avec ses deux ans de retard elle dominait largement tous ses camarades de la SIL, Section d'Initiation à la Lecture. Un avantage non négligeable, surtout dans son cas. Comme avec l'école elle ne pouvait plus être 24 heures sur 24 sous ma surveillance, il n'y avait pas d'autre choix que de lui baliser une route étriquée. Des repérages s'imposaient. Je pris donc le temps de cribler toute l'école, élève par élève, maître par maître, et je découvris que sur une population de 163 individus l'école comptait, en dehors de Dodo, deux autres enfants *ewusus* : un garçon du CE2 âgé de huit ans et une fille du CM1 qui avait dix ans. Ces deux autres ne couraient pas les mêmes risques que Dodo, car ils avaient correctement subi toutes les phases de leur initiation : ils ne parleraient jamais. Même s'ils parvenaient à déceler la vraie nature de Dodo, ce qui était sans doute déjà le cas, il ne leur viendrait jamais à l'idée de venir lui parler des choses proscrites. Par contre, on ne pouvait pas en dire autant de ma petite-fille. Si loquace et certainement plus avancée dans le monde des *ewusus* que les deux autres écoliers, elle était parfaitement capable d'aller les aborder en pleine cour de récréation pour engager des potins de l'après-minuit. Cela ne devait pas arriver. Le moyen le plus simple dans ce genre de situation est d'éliminer les gêneurs, et lorsqu'on est un *ewusu* consciencieux c'est comme cela qu'on procède toujours. J'eus la faiblesse de faire montre d'un peu d'humanité, aussi ordonnai-je plutôt à Dodo de ne jamais sortir de sa classe pendant les récréations et de rentrer directement à la maison après les cours, en invoquant les esprits de tous les ancêtres afin qu'elle m'obéisse. Il eût été plus efficace d'aller chaque jour me poster à la sortie de l'école pour m'assurer qu'elle ne traînait pas en chemin avec des copines, mais cela aurait attiré l'attention. Plus la situation est critique, plus il faut savoir ne faire que l'essentiel.

« La première année scolaire s'acheva sans ennui. Dodo s'en tira bien et passa ses examens, quoiqu'elle ne se fît pas d'amis. Son institutrice porta dans son carnet de notes la mention suivante : *Elève amorphe, ne réagit jamais.* Je suis sans doute l'unique personne à s'être jamais réjouie d'une telle mention. On conviendra avec moi que mieux vaut être bizarre que mort. Je profitai des grandes vacances d'été pour l'éloigner momentanément du village et je l'emmenai à Yaoundé chez son oncle Moïse. Là-bas elle fut très contente de passer du temps avec toi, son grand frère, et tu parlas même de la prendre avec toi et de l'inscrire dans une école du voisinage. Tu avais terminé tes études, par chance tu venais de trouver un travail décent et tu disais vouloir t'occuper toi-même de ton unique sœur. Je sus apprécier cette initiative, qui t'honorait, et que j'eus agréée sans réserve si Dodo avait été une enfant comme une autre. Mais elle ne l'était pas. Quant à toi, brave ingénu, on ne pouvait même pas te donner les vraies raisons pour lesquelles ta sœur devait obligatoirement rester auprès de sa grand-mère. Dodo n'était pas plus en sécurité à Yaoundé qu'au village, mais comme moi je pouvais prévenir certaines attaques, elle ne devait vivre que là où je vivais. Ce ne fut pas très compliqué de trouver des arguments pleins de bon sens pour t'opposer un refus poli.

« Ces vacances nous servirent aussi à d'autres choses.

« Yaoundé est une ville que j'aime depuis longtemps. Il m'arrivait autrefois d'y aller pour le week-end et d'y rester jusqu'à la fin de l'année avant de finir par rentrer au village. J'y avais vécu plusieurs fois dans ma jeunesse et même après, c'est là-bas par exemple que j'avais mis au monde mes deux garçons. C'est une cité que je connais bien et dans laquelle j'ai toujours eu des alliés, des intérêts et aussi quelques inimitiés. Les *ewusus* de cette ville sont sans doute les plus vigilants et les plus agressifs du monde. Il y en a même qui sont tellement puissants qu'ils agissent en plein jour. Ils vous repèrent dès que vous arrivez dans un quartier et ils viennent vous tester. Vous n'avez rien à craindre si vous êtes un simple citoyen ignorant tout du monde occulte. Mais si vous êtes un *ewusu* allogène, parfois c'est toute une brigade qui vient vous bastonner en guise de bien-venue, afin de vous signaler qu'il reste des patriarches sur les territoires ancestraux. Je ne désapprouve pas ces méthodes urbaines car les grandes villes, qui accueillent et mélangent chaque jour des millions de gens de pratiques diverses, n'auraient plus d'âme si chacun pouvait arriver et faire ce qu'il veut dans la nuit. Ce serait vite le chaos.

« Depuis plus de soixante ans que je fréquentais la ville de Yaoundé, je n'avais plus à redouter un accueil musclé car on me connaissait un peu partout. Lorsque j'y étais arrivée la première fois, en 1951, en tant que *ewusu* étrangère, on m'avait attribué une marraine, après bien entendu un passage à tabac en règle. Ma marraine, satisfaite de mes capacités, m'avait vite entraînée sur les champs de bataille qui foisonnaient à l'époque dans nos villes coloniales. Il s'agissait bien sûr d'emmerder les Blancs, mais il fallait surtout barrer la route à leurs thuriféraires indigènes qui ambitionnaient de s'approprier indûment des terres en s'appuyant sur leurs postes de fonctionnaires pour maquiller des titres fonciers. Je me souviens encore du carnage que nous fîmes contre des *ewusus* venus des environs du mont Bamboutos, qui étaient sur le point de racheter le centre-ville de Yaoundé pour un franc symbolique. Des têtes furent accrochées à des pieux. Je fis montre de combativité en d'autres occasions et reproduisis des performances analogues, pour le salut de la ville de Yaoundé, et en guise de récompense on me donna un lopin de terre dans le quartier Mvog-Ada. Quand ma marraine décéda, en 1972, une assemblée générale d'*ewusus* décida de m'affranchir et, depuis lors, je suis considérée à Yaoundé comme une autochtone. De tous les *ewusus* allogènes, je suis l'une des très rares à pouvoir y commettre une action personnelle d'envergure sans que cela déclenche une guerre tribale. On me respecte, on me consulte même parfois quand des notables locaux n'arrivent pas à s'entendre pour des postes ministériels.

« Si pour ces vacances avec Dodo j'arrivais à Yaoundé en terrain conquis, tel n'était pas le cas de ma petite-fille qui y séjournait pour la première fois. Les *ewusus* de Yaoundé sont aimables avec moi, mais rien ne les détourne d'habitude de ce qu'ils pensent être leurs responsabilités. J'avais donc intérêt à prendre les devants pour éviter à Dodo quelques déconvenues. Aussitôt couchée et transformée, je l'emmenai rapidement faire le tour des principaux points de la ville pour la présenter aux barons de la nuit. Je ne fus pas surprise d'entendre l'un d'eux dire que Dodo ne lui était pas tout à fait inconnue, parce qu'il l'avait déjà détectée une fois dans les environs du passage à niveau de Mbalgong, durant la nuit où il s'était produit un accident ferroviaire ; il avoua même l'avoir pourchassée en vain, ce qui voulait peut-être dire qu'il avait quelque chose à voir avec cet accident. Tous les barons de Yaoundé m'assurèrent que puisque je répondais de Dodo, elle ne courait aucun risque du moment qu'elle se tenait correctement.

« En marge de cette tournée, il y avait aussi le comportement citadin de Dodo à améliorer. En ville, s'il n'y a pas beaucoup d'arbres pour se poser comme au village, il y a en revanche quantité de pièges à éviter tels que les câbles électriques et téléphoniques qui vont dans tous les sens, les antennes plantées sur les immeubles, et les phares des voitures qui peuvent vous éblouir. Même les sonorités ambiantes sont différentes. Il fallait enseigner tout cela à Dodo, et il fallait qu'elle l'assimile vite. Car à tout moment sa position pouvant devenir intenable au village, il fallait pouvoir se rabattre dare-dare sur Yaoundé. Les vacances furent un succès total et c'est en toute sérénité que je la ramenai au village à la rentrée pour commencer son année de CP.

« La précédente année scolaire avait été en tous points exceptionnelle : aucun dérapage verbal à l'école et une bonne moyenne. Mais il n'était pas question de se relâcher car si Dodo changeait de classe et de maîtresse, pour cette nouvelle année elle retrouvait la même promotion. Et entre camarades il est difficile de rester crispé pendant les retrouvailles d'après-vacances, surtout lorsqu'on est bavard et qu'on a des choses de la ville à raconter. Je jugeai donc sage d'inventer une maladie à Dodo afin de la garder à la maison pendant cette période délicate, de sorte qu'elle ne commença les cours qu'à la mi-septembre, deux bonnes semaines après tout le monde.

« Après l'école ce fut au tour du grand baobab de célébrer la rentrée des *ewusus*. Quelques cas furent débattus, mais celui sur lequel on se pencha le plus fut celui de l'hôpital du village. En effet, on avait publié dans un journal gouvernemental que la construction des nouveaux bâtiments de l'hôpital était terminée. Des photos montraient lesdits bâtiments et même le logement de fonction du médecin-chef. Ce brillant reportage se terminait par une marche de soutien au chef de l'Etat. Seulement, sur le site qui avait été retenu pour l'édification du nouvel hôpital, il n'y avait en réalité pas grand-chose à observer. On avait fait un terrassement et déversé trois camions de sable, rien de plus. Il est vrai que ce genre de malversation n'émouvait plus grand monde dans un pays où même le gouvernement de la République n'hésitait pas à inaugurer par exemple une autoroute dont les trente derniers kilomètres sont en terre. Ce n'était pas la première fois que le budget d'un projet était détourné dans notre localité, mais cette fois-ci nous avions décidé de sévir. Une succincte analyse détermina que pour que ce projet puisse être efficacement détourné, sur le plan local il avait fallu une synergie totale entre cinq responsables : le sous-préfet, le député, le maire, le percepteur des finances et le médecin-chef. Si un seul de ces cinq avait refusé de participer au détournement des fonds, le projet aurait été réalisé et le village aurait maintenant un véritable hôpital en lieu et place de notre éternelle cabane coloniale dans laquelle on ne pouvait engager un accouchement sans risquer l'écroulement d'un mur. Une malversation de cette envergure ne pouvant se faire qu'avec de solides complicités dans les services centraux d'au moins trois ministères, il n'était pas envisageable pour nous d'aller fouiller dans toute l'administration pour réunir les coupables. C'est pourquoi il fut décidé que seuls les cinq principaux bénéficiaires de la magouille devaient être punis. Les sentences arrêtées furent les suivantes, dans l'ordre : la femme du sous-préfet qui était enceinte de cinq mois ne devait pas accoucher ; l'immeuble que le député se construisait, dont les travaux en étaient au troisième étage, devait s'écrouler ; un incendie devait se déclarer au domicile du maire ; le percepteur des finances devait perdre une grosse somme d'argent dans le coffre de son bureau ; le médecin-chef devait avoir un accident de moto et se broyer au moins la jambe. Il fut en prime décidé, pour ennuyer davantage le maire qui était fils du village qu'il aidait à spolier, que le camion de la mairie devait être précipité dans un fleuve parce que M. le maire se permettait de le louer pour son bénéfice personnel. Des *ewusus* furent affectés à toutes ces missions, qui furent échelonnées sur une période de trois mois, afin de les isoler les unes des autres pour brouiller les pistes. Personnellement, je devais m'occuper de la femme du sous-préfet, et Dodo devait se charger d'incendier le domicile du maire.

« Comme j'étais la première à entrer en scène, je m'acquittai de ma tâche dès le lendemain avec une application exemplaire. Pendant trois nuits de suite je m'introduisis dans la chambre à coucher du sous-préfet et massai chaque fois le ventre de sa femme endormie avec une plante différente. Moins d'une semaine plus tard, elle fit une fausse couche qui faillit même l'emporter tandis qu'on l'évacuait vers Douala. Quand le tour de Dodo arriva, elle aspergea d'essence le domicile du maire, de la toiture jusqu'au fond du garage, et y mit le feu. Pas une fourchette ne fut récupérée et le maire fut heureux de ne pas déplorer de perte humaine. Ce n'est pas bien de se moquer de la douleur d'autrui, mais les villageois ne furent pas fâchés d'entendre messieurs le sous-préfet et le maire venir se plaindre du manque de structures sanitaires, eux grâce à qui les bons hôpitaux ne se voyaient que dans les journaux. Pour moi ce fut instructif de constater qu'un maire et un député issus de partis politiques différents, qu'on connaissait comme ennemis et qui rataient rarement l'occasion de s'insulter dans un meeting, ne pouvaient fédérer leurs ambitions que lorsqu'il s'agissait de voler le peuple. Il était à craindre qu'une concordance de malheurs les rapproche davantage, et que cela se ressente de nouveau dans les deniers publics. Tant pis, les sanctions devaient se poursuivre. On n'en était même pas encore au médecin-chef le jour où Dodo commit la faute fatale.

« Un monsieur qui exerçait le métier de récolteur de noix vint à mourir. C'est ce monsieur qui montait sur les palmiers à huile pour couper les régimes mûrs, et pour monter il se servait d'habitude d'une lanière qu'il passait autour de l'arbre et qui le soutenait par le bas du dos. Il était très demandé dans le village et ses escalades specta-culaires l'avaient rendu populaire auprès des enfants qui adoraient le voir travailler. Le spectacle vira au cauchemar ce jour-là quand la lanière se brisa, abandon-nant le malheureux récolteur de noix en suspension dans le vide. Il dégringola de plus de dix mètres et vint heurter le sol devant l'ensemble de son fan-club, mourant sur-le-champ. Il est peut-être utile de préciser qu'il mourut sans l'aide de personne, parce que malgré toute notre bonne volonté la mort naturelle reste la principale porte de sortie de ce bas monde. Pendant que son corps était convoyé vers la morgue, tout le village se réunit pour organiser le deuil. Il fallait arrêter une date pour l'enterrement, constituer des commissions pour la restauration, l'emménagement du site, le creusage de la tombe… Bref, la routine habituelle. Il fallait surtout arrêter le budget du deuil. Comme les notables se montraient tout à coup moins loquaces, une dame proposa son entregent pour que le maire accepte de prêter gratuitement son camion pour le retour de la dépouille mortelle. La dame n'avait pas fini de jouir des murmures approbateurs de l'assistance que j'entendis Dodo dire, à côté de moi et à haute voix, qu'il fallait se dépêcher de ramener la dépouille mortelle car le camion du maire allait bientôt tomber dans un fleuve !

« J'arrêtai net ma respiration. Je vis comme dans un halo les gens qui rigolaient de cette parole d'enfant, Dodo qui les regardait, étonnée… Ces ingénus ne la prenaient pas au sérieux. Mon regard se porta instinctivement sur le diacre. Ce monsieur avait bien vingt ans de plus que moi, ce qui lui en faisait au moins quatre-vingt-dix-huit, et il était toujours vivant. Il était assis là, comme s'il n'avait rien entendu. Dans le fou rire général il avait semblé plus préoccupé par son tube à tabac, qu'il avait frappé deux fois de l'index avant de l'ouvrir pour se combler le nez de prises. Il renifla bruyamment, sortit un mouchoir noir de crasse et, lorsqu'il acheva de se

récurer les narines, je pus enfin rencontrer son regard...
Dodo devait quitter le village immédiatement.

« Il était un peu moins de 17 heures. Aussitôt la nuit tombée, une dizaine d'*ewusus* allaient succinctement se réunir sur le grand baobab pour lancer la chasse. Cela nous laissait une petite avance d'environ deux heures. Je fus à la gare en un temps record, tenant ma petite-fille par la main. Par bonheur il restait un dernier train pour Yaoundé, par malheur il était en retard comme d'habitude. On ne pouvait pas se payer le luxe d'attendre le train, parce qu'il y a des jours où il ne vient carrément pas. Je louai les services d'un moto-taximan qui nous déposa au bord de l'autoroute Douala-Yaoundé où un minibus finit par nous embarquer. A 21 heures nous étions à Yaoundé. Je savais, pour l'avoir dirigée à plusieurs reprises, que la brigade des *ewusus* du village était déjà sur nos traces. Pour ne pas faciliter la tâche à nos poursuivants je ne me pointai ni chez mon fils Moïse ni chez toi Alain, je décidai plutôt de descendre avec Dodo chez mon vieil ami Ada qui est *ewusu* comme moi.

« Ada est un respectable patriarche qui n'a rien à me refuser, même quand j'arrive à l'improviste chez lui en pleine nuit. Depuis l'année 1954 notre amitié est garantie par une foule de secrets. Nous avions tant fait l'un pour l'autre que je n'eus même pas à lui rafraîchir la mémoire pour qu'il accepte de prendre Dodo sous sa protection. Ce qui est bien dans le monde des *ewusus* c'est que les obligés n'ont pas intérêt à devenir des ingrats. Je me gardai tout de même de révéler à Ada la raison de notre cavale, ce qui ne l'empêcha pas de nous mettre aux petits soins dans une dépendance de sa somptueuse villa.

« Mon ami Ada est un chic type mais comme *ewusu* il faut avouer qu'il est quelque peu imprévisible, voire incontrôlable. C'est une sorte de savant fou qui multiplie les expériences douteuses. Déjà dans sa jeunesse il était du genre à attendre le lever du jour sur un arbre pour voir quel effet cela lui ferait. C'est ainsi qu'après des années de tentatives il fut le premier *ewusu* à se manifester au beau milieu de la journée. C'est une véritable sommité dans le milieu, il a toujours un projet bizarre en cours et il énonce des théories assommantes. Avant de prendre sa retraite pour se consacrer à ses travaux, Ada était aussi reconnu en tant que professeur des universités d'ici et d'ailleurs, et il n'avait pas eu besoin de tenir des propos dithyrambiques à l'endroit du régime ni de signer des motions de soutien au président de la République pour être promu doyen de la faculté des sciences. Je pense qu'il eût fini recteur s'il avait milité dans le parti au pouvoir. S'il y a quelqu'un qui se rapproche le plus du bel esprit c'est bien Ada, et en même temps il a toujours été… disons, bon vivant. Aujourd'hui, à soixante-douze ans, il est polygame de quatre femmes dont la dernière, âgée de dix-neuf ans, était la bonne de l'une de ses filles. Personne n'est parfait. C'est un excellent protestant qui ne manque pas un office du dimanche, préside le conseil paroissial et verse toujours plus que sa dîme. En allant me réfugier chez lui, je comptais grandement sur la notoriété qui avait fait de lui un intouchable dans ses deux vies pour protéger ma petite-fille.

« Depuis le tout début j'avais décidé de ne pas parler à Dodo du danger qui la guettait, afin de ne pas la paniquer, et de lui permettre de mener une vie presque normale. Je prenais toujours toute l'angoisse sur moi, ne lui transmettant que des effluves de gaieté et de liberté. Chez Ada nous passâmes les premiers jours dans notre studio à regarder la télé en nous empiffrant de gâteaux entre les repas quand il faisait jour, et à rôder à l'intérieur de la concession quand il faisait nuit. Après une semaine de ce traintrain, Dodo commença à s'impatienter. Mille fois dans la journée elle me demandait quand elle pourrait aller voir son grand frère Alain, quand elle pourrait retourner à l'école, si on allait revenir au village, etc. Je parvenais à trouver des réponses plus ou moins convaincantes et elle se replongeait gentiment dans ses dessins animés. Mais la nuit, c'était une tout autre histoire : j'avais désormais en face de moi une *ewusu* déterminée dont les frustrations journalières décuplaient les envies d'évasion nocturne. Je ne pouvais plus continuer à lui barrer la voie à moins de devoir jouer carte sur table avec Ada, ce qui n'était pas envisageable. Pour ne pas en arriver à l'affrontement je fus bien obligée de la laisser suivre Ada dans ses tournées. Les accompagner eût sans doute été utile mais cela présentait aussi un gros risque puisque, comme tout le monde me connaissait à Yaoundé, ma présence pouvait offrir à nos poursuivants de petits cailloux blancs pour nous suivre à la trace. Il ne me restait donc plus qu'à dire des prières chaque nuit en guettant le retour de Dodo. Quelques nuits plus tard, Ada commença à venir me dire beaucoup de bien de Dodo. Il était totalement sous le charme de la petite ! Il assurait n'avoir jamais rencontré de telles capacités à cet âge, il soutenait que cela ouvrait de nouvelles perspectives... Il pensait me faire plaisir en louant sincèrement l'encadrement que je lui avais donné, et il s'en fallut de peu pour qu'il n'offrît de la garder chez lui pour de bon. C'était touchant.

« Ce à quoi Dodo prenait part pour susciter tant d'admiration m'importait peu, à vrai dire. Néanmoins, connaissant mon ami Ada, il y avait lieu de présumer qu'ils ne passaient pas leurs nuits à déclamer des poèmes sur le pont d'Emana ou à chanter des ballades au bord du lac municipal. Ce qui m'effrayait, c'était que Dodo risquait à tout moment de reproduire la même faute, celle qui lui valait déjà le statut de proscrite de son village et l'acharnement d'un peloton d'impitoyables sicaires. Dodo pouvait encore *parler*, j'en étais terrifiée et il y avait sujet de l'être. Parce que, en quelques sorties nocturnes, voilà qu'elle en savait déjà trop sur Ada !

« Que faire ? S'il s'agissait de partir, où aller ? Le même scénario n'allait-il pas se reproduire partout et n'allions-nous pas finalement nous retrouver avec tous les *ewusus* du pays aux trousses... Pendant que j'étais ainsi aux abois, le comble c'est que la principale concernée commençait à se monter de plus en plus épanouie. Depuis qu'elle avait repris sa vie nocturne Dodo était resplendissante, adorable, sage. Même dans la journée elle ne me posait plus de problèmes. Elle se montrait pleine de vie, elle dont l'existence était en jeu, elle qui pouvait être foudroyée à tout moment. Je l'écoutais me chanter des comptines de son école, je la regardais danser en se tenant les hanches, sautant d'un pied sur l'autre, je la voyais sourire et moi aussi je souriais, sans refléter sur mon visage l'accablement qui me déchirait le cœur. Ce n'était qu'une petite fille, Dodo. Je l'avais tant désirée et Dieu me l'avait donnée. Totalement. Tout ce que j'avais fait avait été dans un seul dessein : faire d'elle une grande dame. Une meneuse, une décideuse, une de celles qu'on écoute. J'avais échoué et j'étais là maintenant, terrée au fond d'un débarras, à vivre, impuissante, les derniers jours d'une enfant qui demandait plus que jamais à vivre. Personne mieux que moi ne pouvait savoir *qu'ils* allaient nous rattraper. Je savais aussi que la partie était perdue d'avance : on peut lutter et même vaincre un *ewusu*, mais il n'est pas possible de gagner quand c'est à la congrégation qu'on a affaire. L'attente ne fut pas longue.

« Trois semaines étaient passées depuis notre installation chez Ada. Je guettais le retour de Dodo par une nuit pluvieuse. Nos deux corps physiques étaient couchés côte à côte dans le lit et je veillais sur eux, comme toutes les nuits quand la petite sortait. Il était 4 heures du matin quand un froufrou sous la porte me signala une présence : c'était bien Dodo. Elle entra. Je lui demandai si tout allait bien, elle répondit affirmativement. Elle allait se diriger vers son corps lorsqu'un deuxième froufrou se produisit et Ada apparut. Un seul coup d'œil me suffit pour comprendre que le jour du dénouement était arrivé. Nous nous affrontâmes du regard, le temps que les autres fassent leur entrée : ils étaient quatre, dont le diacre. Ce bon vieux diacre en compagnie duquel j'avais pourchassé et puni des gens quand j'étais jeune était là maintenant pour sceller le sort de ma petite-fille. Lorsqu'il était ainsi en mission il était plus vif que jamais, rien à voir avec le vieillard voûté et engourdi qu'on connaissait au village. Quand Dodo vit le diacre elle courut se jeter joyeusement dans ses bras, parce que c'était un parent du village qu'elle était ravie de voir. Totalement inconsciente du drame qui se jouait. Ada était furieux parce que je l'avais doublement exposé sans rien lui dire : d'abord en mettant dans son entourage une personne capable de *parler*, donc de raconter ses actions nocturnes, ensuite en cachant chez lui une personne déjà recherchée. Sa colère était légitime et connaissant les règles je n'avais pas le droit de lui en vouloir. Quand il avait été interpellé par les quatre envoyés, c'est au nom de notre amitié qu'il avait négocié et obtenu que l'enfant puisse rentrer sereinement et que la dernière scène se joue en ma présence. Ces messages d'Ada je les recueillis dans son regard, car aucun mot ne fut échangé. Dodo était encore entre les mains du diacre quand ils se jetèrent sur elle. Je n'avais pas le droit d'intervenir car Dodo étant une menace concrète pour tous les *ewusus*, j'étais théoriquement de leur côté et je me devais, sinon de joindre mes forces aux leurs pour éliminer l'ennemie, du moins de ne pas les en empêcher. Ada resta bien en face de moi pour s'assurer de ma neutralité, tandis que les quatre autres massacraient Dodo. Je l'entendais crier sous les coups, m'appeler au secours… Il m'était arrivé par le passé de prendre part à ce genre de lynchage, c'est un travail méthodique qui ne laisse aucune chance de survie à la victime dont tout le corps astral est bousillé. Quand ils quittèrent la chambre, Dodo gisait au sol, disloquée, mais elle respirait encore. Je l'attrapai et la tirai vers son corps physique qu'elle put péniblement réintégrer, tandis que je faisais de même. Quand nous eûmes repris chacune sa forme humaine, elle me lança un regard qui me hantera jusqu'à la fin de ma vie. Dehors, le jour commençait à se lever. Je la conduisis aux urgences de l'Hôpital Central de Yaoundé sans me faire la moindre illusion : aucun examen n'allait révéler quoi que ce soit. On la mit sous perfusion, et c'est à ce moment que je décidai de te prévenir, toi Alain. »

– Je m'apprêtais pour le boulot et ton coup de fil m'a complètement déstabilisé. Tu m'as alors raconté que Dodo avait convulsé la veille, qu'elle était en observation à l'hôpital et que la situation était sous contrôle !

– Tu aurais peut-être préféré que je te dise tout de go que ta petite sœur était une sorcière qui s'était fait bastonner à mort par d'autres sorciers, n'est-ce pas ?

– Tu aurais au moins pu me dire qu'elle était à l'article de la mort !

– Je ne voulais surtout pas que tu déboules directement à son chevet, et c'est exactement ce que tu as fait. Dodo a ainsi pu *parler* une dernière fois, et elle t'a presque tout dit.

– C'est ce que vous n'aviez pas prévu, ni toi, ni ton ami Ada, ni le diacre et les autres exécuteurs.

– Je t'interdis de me ranger dans le même lot que ces gens-là ! Je ne suis peut-être pas l'*ewusu* la plus modérée, mais moi je n'ai jamais voulu que Dodo meure.

– Tu es presque convaincante...

– Quand j'ai eu la certitude que Dodo *parlerait* toujours et que cette tare n'était pas rattrapable par nos décoctions à nous, il m'avait fallu accepter le fait que je n'avais plus de petite-fille. Et ce ne fut pas facile ! C'est en fait depuis ce jour-là que je porte le deuil de Dodo, car le risque qu'elle représentait pour la congrégation *ewusu* ne me permettait pas de céder à l'optimisme. Il aurait fallu plus qu'un miracle pour la sauver. Son cas était un peu comparable à celui de ces grands cancéreux dont les proches ignorent tout, et qui parviennent parfois à gagner un mois ou deux sur la date fatidique. La vérité est que, pendant cette seconde moitié de sa vie, Dodo ne fut rien d'autre qu'une cible ambulante, et mon rôle consistait à trouver le moyen de prolonger au maximum son sursis. Quand on sait qui il y avait en face, je pense qu'il faut se réjouir qu'elle ait tenu trois ans. Je ne me remettrai jamais de cette perte. Jamais.

« Maintenant, Alain, c'est ton tour. Puisque toi aussi tu *sais* et que tu as la capacité de *parler*, je suis au regret de t'annoncer, cher petit-fils, que depuis une bonne heure tu es exactement dans la situation qui fut celle de Dodo, avec en plus le grand inconvénient de ne pas avoir d'aptitudes occultes. Et comme je ne me sens plus la force de rentrer en croisade pour t'assurer une protection, tu peux déjà dire ta prière.

– J'ai peut-être une solution.

– Qui, toi ?

– Oui, moi.

– Et quelle est-elle, cette solution ?

– Quelque chose de très simple, en vérité : tu vas tout de suite m'administrer tes neuf potions magiques et faire de moi un *ewusu*.

– Tu plaisantes ?

– Non, je suis au contraire très sérieux. Réfléchis. Vu les derniers développements, cela ne présente que des avantages et pour tout le monde : d'abord pour moi qui en rejoignant le contingent des esprits de la nuit serai automatiquement contraint au silence et ne représenterai plus un danger pour les *ewusus*, ce qui me permettra en même temps de sauver ma vie ; ensuite pour les *ewusus* eux-mêmes qui pourront faire l'économie d'une traque plus ou moins longue, au lieu de courir le risque que je parle de ce que je viens d'entendre ; et enfin pour toi qui non seulement n'auras pas un second deuil à enchaîner mais aussi gagneras un candidat pour assurer la pérennité de ton œuvre. Qu'en penses-tu ?

– On ne peut mieux défendre ta position. Seulement, je n'ai pas eu à initier un seul homme de toute ma carrière. En réalité je n'ai initié personne d'autre en dehors de Dodo, pour qui j'avais réservé toute mon énergie. Je ne dis pas que c'est impossible pour une femme de convertir un homme à ces choses-là, mais je ne donne aucune garantie de réussite.

– Comme je n'ai guère d'autre choix, je suis prêt à prendre tous les risques. Ce qui m'importe désormais c'est ton assentiment. Alors je te le redemande : Mispa, acceptes-tu de faire de moi le prochain *ewusu* de la famille ?

– Seulement si tu t'engages d'abord à ne jamais rien tenter contre moi ni contre quiconque dans ce village pendant une période de deux ans.

– Ah ?

– A prendre ou à laisser.

– OK. Je le jure, sur la mémoire de Dodo !

– Alors j'accepte.

– Il y a quand même deux petites questions qui me brûlent les lèvres, que j'aimerais bien te poser, maintenant qu'on a fait la paix.

– La première ?

– Comment se fait-il que tu aies pu *parler*, toi qui es une *ewusu* accomplie ?

– De toute évidence quelque chose a dû se dérégler en moi. Aucun édifice n'est sans faille. Et la deuxième ?

– Celle-là je comprendrais que tu ne veuilles pas y répondre : pourquoi ne t'es-tu jamais mariée ni même installée avec un homme, toi qui sans doute avais jadis été la plus belle jeune femme de tout ce canton ?

– Là, tu deviens impertinent, jeune homme ! Je devrais t'empoisonner, de ça au moins je puis garantir le résultat... Mais comme nous sommes désormais alliés, je vais quand même te répondre. A l'époque de ma jeunesse, aucune fille n'était plus fleur-bleue que moi. Je ne veux pas trop parler de moi-même mais c'est vrai que j'étais plutôt belle. Dès l'âge de treize ans je savais évaluer mon pouvoir sur les hommes, qui ne prenaient même pas la peine de dissimuler leurs regards concupiscents. C'était l'époque où le viol était vu ici comme un acte de bravoure et peu de jeunes filles ont échappé aux assauts des cousins, voisins et autres instituteurs. J'avais vaillamment dû assumer mes arguments physiques, parfois douloureusement, et ce ne sont pas les mésaventures qui m'empêchaient de rêver d'un homme fort qui viendrait m'épouser et m'emmener dans son village. Et beaucoup de bons prétendants se manifestèrent. Seulement, en même temps je n'arrêtais pas de penser à ce qu'il adviendrait de moi si en voulant m'étreindre durant la nuit un homme se rendait compte, une, deux, trois fois, qu'il avait dans son lit une espèce de macchabée totalement inerte. Ce blocage-là je n'ai jamais su le vaincre et j'en suis restée toute ma vie aux accouplements fugaces avec des admirateurs de circonstance. Heureusement que même debout dans un buisson on peut tomber enceinte, et finalement je ne me suis pas trop mal débrouillée puisque j'ai eu deux garçons.

– Et c'est cette grande vie-là que tu destinais à Dodo ?

– Tu ne manques pas d'aplomb, galopin, mais quand tu auras fait ton premier baobab tu comprendras encore mieux le risque que tu as pris ce soir en venant m'affronter, moi, Mispa. Maintenant trêve de bavardage, il fait nuit depuis longtemps et j'ai deux ou trois comptes à régler. Sois gentil de me décrocher ces calebasses qui sont accrochées à la claie, prends une carafe et de l'eau puis reviens t'asseoir ici. Les choses sérieuses commencent pour toi.

2

La dématérialisation

Voilà comment je devins moi-même un *ewusu*. Sans doute le premier mâle-*ewusu* de la lignée depuis plus d'un siècle. La vieille Mispa, anéantie par l'échec de son projet, avait accédé à ma demande plus facilement que je ne l'avais craint. Le seul fait d'avoir *parlé*, de m'avoir raconté son histoire montrait qu'elle n'attendait plus rien de la vie. Car, ce faisant, elle avait délibérément violé la règle fondamentale du ténébreux milieu dans lequel elle était quasiment née. Depuis la disparition de Dodo, rien n'avait plus d'importance pour elle, et c'est peut-être ce qui m'avait favorisé. Quand je repense à cette soirée où j'étais allé lui tirer les vers du nez dans sa cuisine, transpirant de rage et de colère contenues, je tremble encore de ce qui me serait arrivé si j'avais eu le malheur de tomber sur une Mispa normale et en forme. Elle m'aurait éconduit, ce qui m'aurait sans doute poussé à la forcer. Elle aurait alors réagi. Avec plus de soixante ans de routine, il lui aurait suffi d'une concentration de dix secondes pour libérer son esprit *ewusu* et venir s'occuper de mon cas. Je ne serais plus de ce monde.

Heureusement, une dépression opportune lui avait fait gagner en humanité et elle m'avait non seulement épargné, mais aussi tout révélé. Je savais désormais *qui* chercher. Un reste inespéré de fibre familiale l'avait sensibilisée sur mon sort et elle m'avait enrôlé à l'aide de ses neuf décoctions. Je savais désormais *comment* chercher. La brave ancêtre eût-elle accepté de me transmettre tous ces pouvoirs si je lui avais vraiment dit pourquoi je les voulais ?

Ce que je voulais était un projet qui tenait en deux mots : venger Dodo. Ce projet consistait à identifier tous ceux qui avaient participé à l'élimination de ma sœur puis à trouver le moyen de les châtier. Après le récit de Mispa, je n'avais plus à chercher les coupables : je les connaissais tous et, pour la plupart, ils étaient à portée de main. Seulement les confidences de la vieille femme, et surtout mon engagement vis-à-vis d'elle, avaient changé la situation et désormais les données étaient les suivantes : premièrement, les exécuteurs n'avaient pas agi pour des raisons personnelles, deuxièmement, le diacre et ses acolytes du village bénéficiaient d'une immunité de deux ans. Je m'étais engagé à ne rien entreprendre contre eux, en contrepartie de mon enrôlement. Au fond, Mispa avait peut-être été moins dupe que je ne l'imaginais, dans la mesure où avec ce pacte elle avait pour le moment réussi à écarter tout risque de bataille au sein même de notre clan. Il ne me restait donc qu'une cible : Ada, le patriarche de Yaoundé.

Un mois plus tard j'étais toujours au village, engagé dans une sorte de formation accélérée. Mes premières sorties nocturnes avaient été une révélation bouleversante. Jamais du haut de toute ma culture scientifique et chrétienne je ne me serais risqué à admettre qu'un être vivant pût être doté de telles capacités, si je ne m'étais vu moi-même passer à travers les fentes d'une fenêtre fermée et bondir d'arbre en arbre. C'en était même douloureux de ne pas pouvoir le raconter ! La colonisation et l'évangélisation avaient, nous dit-on pourtant, vaincu les coutumes barbares des indigènes…

Nuit après nuit j'avais le sentiment d'accéder à l'invulnérabilité. Mais quand parfois Mispa me rejoignait au-dessus d'un manguier, rien qu'à la voir se mouvoir je recouvrais de l'humilité. C'était un spectacle de regarder cette vieille femme enjamber des buissons, fuser d'un point à l'autre et léviter sur une toiture, elle qui dans sa vie normale ne se séparait plus de sa canne. Dans la nuit elle était si vive quand elle patrouillait dans le village ! Il y avait entre elle et moi un tel écart d'aptitudes que, malgré ma motivation, je me surprenais parfois à m'inquiéter de la réussite de mon projet. Parce que si le vieux Ada avait lui aussi le don de recouvrer toute la vigueur de sa jeunesse dès la nuit tombée, la confrontation s'annonçait explosive. Surtout à mes dépens. C'était décourageant, mais il n'était pas question d'abandonner, car on ne devient pas *ewusu* pour contempler les autres.

Les journées m'étaient utiles. Je vadrouillais dans le village et c'est avec de nouveaux yeux que je regardais chaque personne. Il se trouvait encore de temps en temps quelqu'un pour me lancer un œil torve. Mais dans l'ensemble la grande douleur qui avait été la mienne pendant les obsèques de Dodo m'avait rendu plus sympathique, car on recommençait à m'inviter. Le matin, quand j'arrivais à me réveiller assez tôt, c'était Betehe qui m'entraînait à boire du vin de palme. A midi, c'était Ngo Bayi ou Ngo Moussi qui me conviaient à manger du *ndolé* chez elles. Et Ngo Moussi, cette jeune femme, il fallait la voir... Avec ses vingt-deux ans, son beau visage, ses seins en poire et un derrière à troubler un consistoire, elle était le rêve secret du notable normal. Quand je voyais tous ces hommes qui lui tournaient autour, ces chasseurs qui prétendaient n'avoir rien pris dans leurs pièges mais qui allaient par-derrière déposer un hérisson dans sa cuisine, et même le pasteur qui insistait pour qu'elle intègre la chorale, je ne pouvais que les plaindre. Les pauvres, s'ils savaient que Ngo Moussi était une *ewusu* débridée, que quand ils venaient dans la nuit cogner à sa fenêtre, c'était du haut d'un cocotier qu'elle les observait...

Le soir, c'est chez mamie Lydia que j'allais prendre un ragoût de plantains, ou bien je descendais chez le vieux Lingom s'il y avait un plat de vipère. Ah, le vieux Lingom... Tout le monde pense dans le village que c'est un sorcier. Il est vrai que lorsqu'on a une telle tête ébouriffée, une barbe de bouc, des yeux enfoncés sous des sourcils en bataille, la bouche pleine de chicots, la peau aussi ridée qu'un cou de tortue, et qu'en plus on marche toujours pieds nus, on ressemble au portrait-robot du dangereux sorcier. Pourtant le vieux Lingom est un gentil citoyen qui n'a rien à se reprocher, hormis quelques petits vols de temps en temps dans les champs des autres, vols qui n'ont d'ailleurs pas encore été prouvés. Désormais j'étais un privilégié qui pouvait voir le village et les gens exactement tels qu'ils étaient. Quand j'allais au culte, le dimanche, moi je savais que ce vieux diacre voûté, celui qui depuis bientôt soixante ans se place à l'entrée du presbytère avant le début de la messe, qui promène l'aumônière dans les couloirs vers la fin, le même qui tient la corbeille de biscuits pendant la Cène... oui, je savais que ce diacre-là était un sorcier. Un *ewusu* qui poursuivait activement une très longue carrière nocturne et qui avait exécuté une fillette sans états d'âme. Quand il m'arrivait de le croiser, je le saluais très courtoisement, sans lui avouer que je priais le Seigneur pour qu'il ne meure pas avant la fin de son immunité afin d'avoir le plaisir de le réduire moi-même en couscous. Il avait peut-être l'ancienneté de son côté, mais moi j'avais l'avantage de la surprise et la motivation. En attendant j'avais aussi d'autres préoccupations.

Tandis que je sillonnais le village, saluant les uns et mangeant chez les autres, je me disais qu'on ne sait pas grand-chose des gens qu'on croit proches. En tout cas ce

81

n'était plus moi qui allais désormais m'en plaindre, puisque les gens continuaient à m'inviter et à se tromper sur mon compte. Nous n'étions pas nombreux dans le village à savoir que si le camion de la mairie était encore en circulation, c'était parce que Dodo l'avait sauvé en dévoilant une information ultra-confidentielle. J'étais désormais de ceux qui savent. Un privilégié. Je profitai encore un peu de la quiétude de la campagne, puis, après quelques chaudes nuits supplémentaires, je finis par me décider à rentrer à Yaoundé.

*

* *

Le congé annuel que j'avais dû prendre était épuisé depuis dix jours, et pour le prolonger je l'avais converti en congé-maladie à l'aide d'un carnet de santé irréprochable. Il y a tant de médecins avec lesquels on peut s'entendre dans nos hôpitaux de référence. Sans perdre une journée je me plongeai dans la réalisation de mon projet. J'avais estimé que deux sorties de repérage autour du domicile de Ada suffisaient pour que je me fasse une idée de ses habitudes. Cet exercice me fut d'autant plus facile que ce monsieur habitait la rue Many Ewondo, comme moi. Il me suffisait donc de traverser et de descendre un peu en direction de la place Ahmadou Ahidjo et j'étais devant son portail. Je fus encore plus courroucé de constater que la nuit où l'on avait massacré ma sœur, j'étais couché à même pas deux pâtés de maisons. Dodo était peut-être passée au-dessus de ma chambre lors de son dernier raid nocturne, tandis qu'elle rentrait en compagnie de Ada qui la savait déjà cernée par ses futurs bourreaux. Que les *ewusus* aient un code et obéissent à des règles, je voulais bien le comprendre, mais je ne parvenais pas à accepter l'élimination de Dodo. Quelqu'un devait payer pour cela et en attendant de pouvoir un jour m'occuper du diacre, c'était le vieux Ada que je visais.

J'avais retourné le problème dans tous les sens et j'en étais arrivé à la conclusion que ma seule chance de le vaincre était de m'attaquer à son corps physique, car si je me hasardais à l'affronter en duel sur un arbre, il allait me broyer. Le plus simple était d'attendre qu'il sorte en voyage astral, puis, ayant localisé son corps physique resté inerte dans sa chambre, l'enduire complètement de piment. Ada serait ainsi condamné à végéter dans les airs et il mourrait après dix jours d'errance. Ce n'était peut-être pas chevaleresque comme plan, mais une vengeance en vaut une autre.

Mes sorties de planque furent pour le moins révélatrices. Ada sortit la première fois à 22 h 15 et descendit vers le Mfoundi. Trois *ewusus* le rejoignirent sous le pont de la gare et ils allèrent s'engouffrer dans le tunnel ferroviaire qui passe sous l'Immeuble ministériel N° 1. Ne pouvant pas prendre le risque de les suivre dans le tunnel, je retournai me poster devant sa maison. Il fut de retour à 23 h 08. La deuxième nuit il ne sortit pas et je fus contraint de programmer une troisième filature pour le lendemain. Cette fois, Ada sortit à 23 h 50 et se dirigea vers l'avenue Kennedy. Il entra dans l'Immeuble Shell où des étages entiers sont désaffectés. Cinq minutes plus tard, il en ressortit en regardant à gauche et à droite. Je dus bien écarquiller les yeux pour le reconnaître, car il paraissait beaucoup moins vieux. Surtout, il avait repris une apparence humaine ! Il me fallut bien l'admettre quand je le vis acheter une cigarette et se la faire allumer. Puis il remonta à pied vers le Marché central, et c'est d'un pas nonchalant qu'il entra en sifflotant dans une boîte de nuit très en vogue. C'était un samedi, il y avait tellement de jeunes gens alignés qui attendaient d'entrer qu'on se serait cru devant un bureau de vote. Je m'installai au-dessus d'un hôtel voisin pour guetter sa sortie. Une trentaine de minutes plus tard, je le revis. Il tenait par la main une jeune femme qui n'avait pas plus de vingt ans et qui semblait énamourée, à moins que ce ne fût l'alcool. Quand ils en eurent assez de s'embrasser sur le trottoir, ils sautèrent dans un taxi. Au lieu de les suivre je préférai aller attendre le retour de Ada devant sa maison. Il mit deux heures à revenir ; il était seul et avait repris l'aspect d'un *ewusu*. Il était 2 h 47.

Ma grand-mère ne m'avait donc pas tout dit sur les *ewusus*. Il est vrai qu'elle ne s'était pas étendue sur sa propre histoire, se bornant à m'en raconter le début pour que je puisse mieux appréhender la trajectoire de Dodo. Avec Ada je découvrais qu'il y avait des *ewusus* capables de se réincarner à bonne distance de leur corps physique, surtout de rajeunir et de venir se mélanger au reste des mortels. Cela faisait froid dans le dos ! Je me pris à imaginer Mispa allant nuitamment à Douala se cacher dans une impasse du quartier Ange Raphael, reprendre l'apparence qu'elle avait à l'âge de vingt ans et s'en aller danser dans une boîte du coin. Elle devait faire un malheur parmi les étudiants qui abondent dans ces parages, avec la grande beauté qui avait été la sienne.

Je décidai de passer rapidement à l'action. Mes filatures avaient définitivement établi que Ada était un client compliqué, et il fallait d'office oublier tout espoir d'équilibrage du rapport de force. Ma première idée ne me semblait pas mauvaise. Dès le lendemain je consacrai ma journée à acheter des quantités de piment rouge que j'écrasai moi-même dans un mixeur, et les mains chaussées de gants j'introduisis la pâte obtenue dans une bouteille en plastique. Avant que la nuit ne tombe je m'en fus cacher ma précieuse bouteille dans un caniveau à côté du domicile de ma cible. Puis je m'arrêtai quelques minutes devant un kiosque à journaux en me disant que dans onze jours tous les titres allaient sans doute annoncer à la une le décès de Jean-Paul Ada, patriarche *Ewondo* de son état, Commandant de l'Ordre de la Valeur, agrégé de sciences physiques et membre d'honneur de trois fédérations sportives. On allait le couvrir d'éloges et exécuter en sa mémoire l'*essani*, la danse guerrière réservée aux valeureux citoyens de sa tribu. Tous les notables du pays se bousculeraient pour prononcer un éloge lors des obsèques de cette sommité. Personne n'irait imaginer que c'était moi, le tout petit Alain Nsona, qui aurais terrassé le grand bonhomme. Encore quelques heures et Dodo serait vengée.

La nuit tomba avec un empressement encourageant. La rue Many Ewondo était encore bouillonnante des multiples activités récréatives qui ont fait sa réputation quand je vins prendre position dans mon observatoire habituel, en face du domicile de Ada. Les détaillants de whisky en sachet ou de CD piratés slalomaient encore entre les vendeuses de beignets, les braiseuses de poissons et l'ensemble de leurs clients qui tous encombrent d'habitude les trottoirs de Yaoundé. Même les tout jeunes vendeurs ambulants de kola et d'arachide grillée promenaient encore leurs plateaux entre les tables des terrasses de buvettes, où des filles de joie déguisées en serveuses se concentraient pour l'heure sur les commandes de consommateurs tapageurs. Personne n'avait le moindre égard pour les cent musiques entremêlées jaillissant des enceintes d'autant de bars voisins.

Du haut de ma cachette, j'étais bien conscient du fait que Ada ne sortirait peut-être pas, ou sortirait tard, mais ce n'était pas mon principal souci.

De tous les hommes, les polygames sont paradoxalement ceux qui partagent le moins leur chambre avec les femmes. Ils semblent s'être tous mis d'accord sur la même tactique : ils confinent les appartements privés de leurs épouses dans des coins opposés de la concession et se choisissent une chambre au centre du dispositif, d'où ils partent alternativement rejoindre soit la frigide et aigrie qui est arrivée la première, soit la nymphomane cancanière qui a suivi, soit la vaniteuse qui a débarqué ensuite et contre laquelle les deux premières s'entendaient parfois, soit la maniérée dépigmentée qui se croyait la dernière avant que ne survienne la jeune analphabète qui méprise tout le reste du harem. Un polygame sérieux obéit à deux règles importantes : il entretient la rivalité, voire l'animosité, entre ses épouses et conserve toujours une chambre à lui que par souci d'équité aucune épouse ne doit fréquenter. C'est cette fameuse chambre qu'il me fallait trouver très vite après la sortie de Ada, car c'est là que son corps physique serait probablement caché. Une tâche qui n'avait rien de simple, car en plus de ses femmes Ada hébergeait encore trois de ses filles – dont une en couple – et sept de ses petits-enfants.

Ada réapparut à 23 h 35. Il faisait un peu froid et les trottoirs s'étaient dégarnis. Sur les terrasses les serveuses s'occupaient de moins en moins des bouteilles et de plus en plus des consommateurs. Ada, plus alerte que jamais, remonta vers le dispensaire. Arrivé au carrefour il emprunta la rue de gauche, plus sombre et moins vivante. Je l'escortai encore un peu, à bonne distance, et lorsqu'il traversa le carrefour Gros Bonnet pour se diriger vers l'avenue Germaine je décidai de battre en retraite. La voie était libre et je disposais d'au moins une heure de tranquillité pour retrouver sa chambre et l'embaumer.

J'entrai dans la grande demeure de Ada comme dans une église, ma bouteille de piment sous l'aisselle.

Pendant toutes mes séances de repérage je n'avais détecté aucun autre mouvement d'*ewusu*, donc je partais du postulat qu'en dehors de Ada il n'y en avait pas d'autre dans la maison. La seule lumière que j'aperçus provenait du salon au rez-de-chaussée : c'étaient deux garçons d'environ douze ans, les seuls qui ne dormaient pas. Ils regardaient attentivement un film porno sur le câble, ayant coupé le son de la télé. Je les abandonnai à leurs études et filai à l'étage. Quatre chambres plus tard je n'avais toujours pas trouvé le corps de Ada, mais je n'ignorais plus rien de l'anatomie de ses filles. Une intuition fulgurante me fit redescendre rapidement : le rez-de-chaussée convient mieux à un homme du troisième âge. En effet je tombai sur la bonne chambre au fond du premier couloir.

C'était une pièce très large. Je commençai à la parcourir d'un regard circulaire. Juste à côté de la porte, une table encombrée de paperasses et de livres, avec en dessous des piles de documents. Puis un moelleux fauteuil et un guéridon disposés devant un grand téléviseur dont le point rouge de l'alimentation indiquait qu'il avait été éteint à la télécommande. Un lourd rideau dissimulant les persiennes d'une fenêtre semblait gommer tout le mur d'en face. Sur une table basse : une machine à café, une palette d'eau minérale, deux tasses et le nécessaire pour la préparation de divers breuvages. Une moustiquaire blanche, retenue par les baldaquins d'un grand lit de style oublié plongeait jusqu'au sol. Je me rapprochai et, à travers les minuscules mailles de la moustiquaire, je le vis... Il était couché sur le dos, les bras le long du corps, le menton relevé, avec une expression de sévérité saisissante. Il était là, à portée de main, et il ne me restait plus qu'à me protéger les mains, à ouvrir ma bouteille et à le badigeonner de piment pour définitivement le transformer en momie. Juste au moment où je tendais la main pour écarter la moustiquaire, un froufrou se produisit dans mon dos et une voix sépulcrale me souffla derrière l'oreille : « Je t'attendais. »

Je fis un bond de côté, le pouls à 200, et ma bouteille qui était tombée roula vers l'entrée de la salle de bains. Pendant une dizaine de secondes, qui me parurent éternelles, je fus tout d'abord pris dans une sorte de béatitude, avant qu'un terrible sentiment d'insécurité ne m'oppresse violemment. Ada alla tranquillement ramasser ma bouteille de piment, qu'il porta à son nez en sniffant. Quand il se retourna et avança vers moi, je crus que je n'allais plus revoir la lumière du jour.

– Tiens, reprends ta bouteille et continue ton travail, me dit-il presque avec amabilité.

– Mais...

– Surtout ne t'occupe pas de moi, fais comme si j'étais dans le lit. Vas-y, barbouille-moi donc de piment.

– Arrêtez de vous payer ma tête et...

Je ne terminai jamais cette phrase. Avec une soudaineté incroyable il m'attrapa par le cou et me plaqua violemment contre un mur.

– Qui t'a envoyé, parle ! grogna-t-il en avançant le menton.

J'étais tellement terrifié que je n'avais même pas mal tandis qu'il me comprimait les carotides d'une main de fer. C'est une quinte de toux qu'il reçut en pleine face pour toute réponse. Il me projeta par terre et je me retrouvai sous la table avec des fascicules sur la tête. Déjà il était près de moi, me dominant de toute sa stature, les yeux luisant comme des lucioles. Je me relevai promptement.

– Qui es-tu, jeune homme ?

– …

Qu'avais-je encore à dire… Ma vengeance avait vécu et j'étais sur le point d'enrichir le tableau de chasse du redoutable Ada. On allait me retrouver sans vie dans mon lit, ce matin ou un autre, avec peut-être des fourmis sortant du nez. Personne ne saurait, comme d'habitude. Je pensai à mes deux filles. Que c'était bête de mourir ainsi ! L'accalmie fut de courte durée.

– Donne-moi une seule raison de te laisser la vie sauve, dit Ada en avançant doucement vers moi.

– Je veux vivre ! m'exclamai-je vivement.

– Ce n'est pas suffisant.

– Je suis Alain, le petit-fils de Mispa.

– Non, c'est impossible ! sursauta-t-il.

– Si ! Je suis le frère aîné de Dodo, Mispa peut le confirmer.

– C'est donc elle qui t'a envoyé !

– Non, elle n'est au courant de rien.

– Si tu es ici ce soir, ça ne peut signifier qu'une chose : Mispa a *parlé.*
– Euh...
– Mispa a parlé ! répéta-t-il avec gravité... Tu es libre, dit-il après quelques secondes de silence.
– Hein ?
– Tu peux partir. Ramasse ta bouteille de piment et dépêche-toi de sortir de ma chambre.

*

* *

Je ne pense pas avoir jamais été plus content de descendre de mon lit, le lendemain, après cette fameuse nuit. Les gens ne prennent pas assez le temps de jouir des petits gestes du quotidien : chercher une sandale sous le lit, prendre une douche, fouiller dans sa penderie... Il y a des jours où ces choses simples apparaissent comme un luxe. Ma nuit mouvementée n'avait pas été sans conséquences, car j'avais mal au cou et au dos. C'était fâcheux mais j'étais encore heureux de pouvoir au moins sentir quelque chose. Il faisait jour et j'étais en vie. En bâillant sans façon je m'approchai de la fenêtre. Là-bas dans la rue les parasols des call-box étaient déjà déployés. Des gens papotaient devant un kiosque, commentant sans doute l'arrivée du quinté de la veille. La vendeuse de beignets nettoyait sa marmite de haricots, pour elle la journée était pointée. La mienne commençait. Depuis que j'étais devenu un *ewusu,* chaque matin au réveil j'avais la vague impression d'arriver dans un monde nouveau peuplé de créatures fragiles. Des gens qui marchaient, parlaient, sans imaginer les choses et les forces qui se croisaient juste au-dessus de leurs têtes. Des ingénus. Je restais parfois des heures à ma fenêtre à les observer s'agitant dans la rue, à contempler ces enfants qui sortaient en courant de l'échoppe avec des baguettes de pain dégoulinantes de pâte chocolatée, ces ménagères qui rentraient du marché avec la queue du maquereau débordant du panier, ces chômeurs sur la terrasse du bar qui reprenaient la partie de jeu de dames interrompue la veille, ces gens qui passaient dans de belles voitures, ces autres qui les enviaient et les méprisaient… Je les épiais de ma fenêtre en me demandant pourquoi il fallait que des gens comme eux et des gens comme moi cohabitent. Ce matin-là, contrairement aux autres jours, je ressentis vivement le besoin d'aller les rejoindre dans la rue.

Je pris un petit déjeuner plus copieux que d'ordinaire, et même un doigt de Martini. Je projetais de me rendre juste après à l'université pour assister à la soutenance de thèse d'une élève-journaliste que je courtisais et qui me faisait tourner en rond depuis au moins six mois. Je n'en eus plus le temps. Tandis que je me parfumais le cou et les aisselles, un coup de sonnerie m'interpella et je m'en fus ouvrir. Le vieux Ada, le vrai, se tenait devant ma porte et il semblait de bonne humeur.

Même légèrement voûté par le poids de ses soixante-douze ans, Ada restait imposant du haut de son mètre

quatre-vingt-dix. Avec ses épaules d'haltérophile enca-
drant un corps musclé, on sentait qu'il avait été un
véritable athlète. Désormais c'était un vieillard qui
s'appuyait élégamment sur une canne. Son visage irra-
diait la sérénité et inspirait confiance, même ses grands
yeux noirs sous d'épais sourcils teintés de blanc n'enta-
maient pas sa bonhomie. Il posa sur moi son regard
profond avant de dire d'une voix aimable :

— Vous êtes bien Alain Nsona, n'est-ce pas… Je suis
Jean-Paul Ada. Merci de me laisser entrer.

J'eus juste le temps de m'écarter et il me frôla en
passant. Je restai coi, le regardant s'avancer vers les
fauteuils. Personne ne l'eût imaginé autrement qu'en
grand-père attentif ou en patriarche prévenant. Dès ce
moment précis je sus que ma dernière nuit avait laissé
plus qu'un cou et un dos douloureux.

— Mais venez donc vous asseoir, monsieur Nsona…
J'espère que je ne vous dérange pas ?

— Euh, non…

— Je m'en serais tellement voulu… Tiens, vous jouez
de la guitare, dit-il en avisant mon instrument posé
contre le mur à côté du téléviseur. Oh, ça me rappelle les
années 60, quand j'allais jouer du *bikutsi* dans un boui-
boui de Mvog-Mbi en compagnie de feu mon ami
Medjo. Qu'est-ce qu'on pouvait s'amuser !

Il s'empara de ma guitare, s'assit sur un coin de
canapé et exécuta un solo de *bikutsi* avec un doigté qui
me laissa perplexe. Le menton relevé, il gardait les yeux
clos et bougeait les épaules avec élégance.

– Ah, si la télé avait existé ici à cette époque-là !
s'exclama-t-il avec un soupçon de mélancolie. Nous
serions devenus des stars internationales et aujourd'hui
on me connaîtrait sans doute comme musicien et non
comme physicien. Parfois une vie entière se joue sur un
petit détail... N'en parlons plus, je ne voudrais pas vous
ennuyer avec mes souvenirs de vieux yéyé.

Il remit la guitare à sa place. Aussitôt assis au fond du
canapé, il demanda :

– Pourquoi votre maison est-elle si silencieuse ? N'y
a-t-il pas d'enfants ici, ou tout au moins une dame à qui
je puisse présenter mes hommages ?

– Non, mes deux filles ne viennent que pour les
congés. Leur mère et moi sommes séparés.

– Ah, vous avez des enfants ? s'étonna-t-il comme s'il
n'avait pas vu les photos posées de part et d'autre du
téléviseur.

– Ce sont des jumelles.

– Ça, c'est très bien. Sais-tu que je suis un bon ami de
Mispa, ta grand-mère ? demanda-t-il en passant soudain
au tutoiement.

– Personne ne s'en étonnerait... Elle m'a dit qu'elle
avait acheté en 1951 le terrain sur lequel est construit cet
immeuble. Voilà donc soixante ans qu'elle est proprié-
taire dans ce quartier dont vous êtes natif.

– Depuis longtemps Mispa est plus qu'une proprié-
taire ici : c'est quasiment une autochtone. Une femme
forte qui a su s'imposer par ses qualités. J'ai beaucoup
appris d'elle, car il faut dire que je l'ai bien côtoyée

pendant des décennies, jusqu'à ce qu'elle décide de rentrer vivre dans son village. Et toi, jeune homme, depuis combien de temps es-tu dans le quartier ?

– Depuis toujours, je suis né ici. Mon cordon ombilical et mon prépuce sont enterrés juste derrière ce bâtiment.

– Pourtant je ne t'avais jamais vu…

– C'est ainsi.

– Bah, tu sais les villes, avec les gens qui vont et viennent… On ne connaît même plus ses voisins, et c'est parfois regrettable. Bon, je suis passé à tout hasard afin de prendre des nouvelles de Mispa, ta grand-mère… Au fait, c'est bien ta grand-mère paternelle, n'est-ce pas ?

– Oui.

– C'est effectivement ce que je me disais, puisqu'elle n'a pas eu de fille, que je sache… Je ne l'ai pas revue depuis le décès de sa petite-fille.

– Elle se remet péniblement de cette douloureuse issue.

– C'est injuste, nous ne devrions pas survivre à nos enfants. Je sais à quel point Mispa a souffert de cette disparition, mais c'est une femme pleine de ressources et je ne doute pas qu'elle parviendra à redonner un sens à sa vie. J'irai lui rendre une petite visite au village pour lui renouveler mes amitiés.

– Elle saura apprécier…

– J'imagine aussi la douleur qui est la tienne d'avoir perdu une sœur cadette qui était pleine de promesses.

– Dodo était mon unique sœur.

– Quand on aime quelqu'un, c'est révoltant de le voir mourir sans pouvoir faire quelque chose. Mais il faut savoir accepter la sentence du ciel, c'est cela aussi être croyant. Je vois que tu allais sortir, je ne resterai donc pas plus longtemps.

Il s'appuya sur sa canne et se leva.

– Je suis très ravi de t'avoir rencontré, jeune homme, continua-t-il. Puisque tu es de la famille de Mispa, alors tu es également de la mienne. Je lui reprocherai à cette cachotière de ne m'avoir jamais dit qu'elle avait un petit-fils aussi entreprenant... Qu'à cela ne tienne, nous prendrons le temps de faire connaissance, et je suis d'ailleurs certain que nous nous reverrons très vite.

Il attrapa ma main et la secoua chaleureusement avant de s'en aller d'un pas lent, me laissant abasourdi. Après ce qui s'était passé la nuit dernière, comment comprendre une telle démarche. Une chose était sûre, ce n'était pas une visite de courtoisie. Il m'avait semblé entendre dans le discours de Ada deux ou trois tournures louches, pleines de sous-entendus. Si sa dernière phrase aussi ne brillait pas par son innocence, elle avait au moins le mérite de la clarté : Ada me donnait rendez-vous pour la nuit prochaine.

Je ne mis pas un pied dehors de toute la journée. Enfermé à double tour, je passai mon temps à regarder la télé ou à jouer de la guitare en imaginant un jeune et vigoureux Ada âgé de vingt-deux ans sur un podium de cabaret, guitare en bandoulière, exécutant des solos de *bikutsi* sous les youyous d'une foule d'admirateurs éméchés. Mispa avait-elle été aussi de ces parties-là ? En fermant les yeux je pouvais presque les voir, lui le *guitar-hero* levant fièrement le manche de son instrument, elle la pasionaria en transe au pied de la scène. Je les entrevoyais fendant la foule vers la sortie, se tenant par la main, ruisselant de sueur. Je les devinais s'isolant dans une chambre d'étudiant, faisant l'amour comme des bêtes, et ressortant en *ewusus* une heure plus tard pour aller assouvir ailleurs leur soif d'aventures…

Quand à 23 heures je me décidai enfin à sortir, transformé en *ewusu*, je me heurtai à Ada qui campait sur le toit d'une échoppe en face de chez moi, de l'autre côté de la route. Il n'avait plus grand-chose du vieillard qui m'avait rendu visite le matin, et c'est comme un oiseau de proie qu'il fondit sur moi.

— Jeune homme, j'ai failli attendre. Il me semblait pourtant que tu sortais beaucoup plus tôt, quand il s'agissait de venir me guetter et de me filer dans les rues de la ville.

— C'est désormais clair que vous m'aviez repéré…

— Dès la première nuit. Je ne serais plus en vie depuis longtemps si je n'avais la capacité de sécuriser l'intégralité de mon périmètre d'action.

— Et pourquoi m'avoir laissé continuer, pourquoi m'avoir permis de voir tout ce que j'ai vu ?

— Je voulais savoir jusqu'où tu étais capable d'aller quand tu es déterminé. Pour une raison très précise que tu ne tarderas pas à comprendre.

— Avez-vous été satisfait, au moins ?

– Oui, sinon tu ne serais pas là.

– Donc, si vous m'avez épargné hier, ce n'est pas parce que je suis le petit-fils de Mispa ?

– Nous reparlerons de Mispa plus tard, pour le moment il y a plus important. Ne restons pas plantés ici au milieu de la rue. Viens, je t'emmène dans un endroit tranquille où nous pourrons discuter.

En moins de cinq minutes nous fûmes au sommet de l'Immeuble de la mort, lugubre bâtisse de quinze étages abandonnée depuis 1987 au cœur de la ville de Yaoundé.

– Je te sens un peu tendu, pourtant tu n'as rien à craindre pour le moment, car je t'assure que ce n'est pas pour parler de ce qui s'est produit hier dans ma chambre que nous sommes là, même si tu devrais avoir honte d'avoir attenté à la vie d'un honnête vieillard. Décrispe-toi donc et écoute-moi attentivement, mon exposé risque d'être long et tortueux :

« Depuis que le monde existe, il y a sans doute toujours eu des *ewusus* en Afrique. Devenir *ewusu* c'est accéder à l'ultime stade du développement des capacités spirituelles et physiques de l'être humain. Quand on a atteint ce stade, tout ou presque devient possible. Chaque idée conçue dans le cerveau de l'*ewusu* s'accompagne presque toujours du moyen le plus simple aidant à sa réalisation. En règle générale chaque *ewusu* peut réaliser ce qu'il pense maintenant, le seul moyen de borner son pouvoir étant de lui opposer un semblable plus mature. Dans le monde de la nuit, le plus facile c'est d'agir et non de penser. Chez les humains dits normaux c'est exactement le contraire : on pense le plus et on peut le moins. Conséquence : la société vit au rythme de projets et même d'avant-projets qui le plus souvent ne vont pas plus loin que le premier tiroir qui les accueille, au terme d'interminables symposiums et colloques durant lesquels des experts en tout genre viennent agiter de grandes idées. Les *ewusus* n'aiment pas trop la notion de projet parce qu'ils ont les moyens de passer directement à l'action. Quand ils se réunissent en assemblée sur un arbre ou ailleurs, les résultats sont palpables au petit matin. Cela a l'air fantasmagorique, pourtant nous savons toi et moi que c'est réel. Tout ce déploiement de forces est admirable et, quand on a la chance d'appartenir à cette élite secrète, on devrait se réjouir chaque nuit de pouvoir narguer les lourdeurs consubstantielles à la nature de l'être humain.

« Pourtant aujourd'hui je suis quelque peu désabusé, je dirais même déçu. Je suis déçu parce que quand je jette un regard rétrospectif sur toute l'histoire des *ewusus*, de l'Antiquité jusqu'à nos jours, force est de reconnaître qu'il n'y a pas grand-chose à en dire. Depuis près de soixante-dix ans que je hante les nuits dans ce pays, je vois le même spectacle de ces gens qui sortent dans la nuit pour aller s'affronter sur les cocotiers et organiser quelques carnages par-ci par-là. Quatre fois sur cinq c'est pour des messes basses et des campagnes vengeresses qu'on vient me solliciter, quand ce n'est pas pour me liquider moi-même. Pas une fois on ne m'a convoqué pour agir en vue d'améliorer quoi que ce soit dans la société, et ce n'est pas souvent qu'il m'a été donné de rencontrer un *ewusu* vraiment soucieux de transformer dans le bon sens la vie de son clan. C'est quand même terrible, n'est-ce pas, qu'une telle concentration de pouvoirs ait pu ainsi traverser les siècles sans réussir à s'imposer dans le quotidien des gens par des concrétisations pérennes, fortes, véritablement positives et bénéfiques pour tous. La vérité est là, et je suis dans la douleur de devoir la reconnaître : les *ewusus* sont des êtres essentiellement négatifs.

« Oui, nous le sommes, toi, moi, Mispa et tous les autres. Parce qu'il faut être foncièrement mauvais pour disposer d'une force et ne penser à s'en servir qu'à titre répressif et destructeur. Qui d'entre nous s'est par exemple distingué en accomplissant dans sa vie personnelle ou celle des autres quelque chose qui n'aurait pas pu être réalisé par n'importe quel audacieux ingénu ? Personne. Si je suis un physicien de renom, ce n'est pas à mes pouvoirs occultes que je le dois. Même chose pour Mispa qui s'est constitué un bon patrimoine en comptant d'abord sur les seuls atouts qu'elle avait en tant que femme ; son cas est même emblématique, parce que je suis persuadé que si elle n'avait pas été trop absorbée par sa vie secrète, elle aurait mieux réussi sa vie de femme. Il en va ainsi de l'existence de la plupart des *ewusus*, qui, las de végéter avec un pouvoir inconvenant, finissent souvent par se mettre en marge d'une société qu'ils auraient pu changer. Et c'est ce gâchis de compétences, cette propension à la destruction qui m'indispose de plus en plus. La vigilance que nous mettons à nous épier, l'acharnement que nous avons à nous combattre et à nous neutraliser, l'indifférence avec laquelle nous nous soucions de la prospective et du destin collectif, tout cela m'horripile. De nos villages à nos Etats nous nous fourvoyons de la même manière. Quand tout un peuple se perd, cela signifie que ce sont les grands guides qui ont failli. En ce qui me concerne je refuse de partager une telle responsabilité, c'est pourquoi depuis quelque temps j'ai décidé de lutter contre cette dérive qui n'a que trop duré.

« Je pense que le moment est venu de plonger dans les profondeurs de nos coutumes ancestrales, d'aller chercher les trésors qui y sont restés trop longtemps enfouis et de venir les poser sur la balance. Si l'Afrique est aujourd'hui la dernière de la classe, c'est certainement parce qu'elle refuse de se battre avec toutes les armes dont elle dispose. Un continent n'a pas le droit de receler tant de richesses de toutes natures, visibles et invisibles, et de rester à mendier, se traînant poussivement à la queue du mouvement mondial, consommant honteusement le produit de la science des autres sans daigner fouiller dans sa besace afin d'apporter la contrepartie qui valorise tout échange se voulant mutuellement bénéfique. Il en va de l'Afrique comme de l'Asie, des Caraïbes et de tous ceux qui au cœur même de l'Europe et des Amériques se plaignent des superpuissances envahissantes ou de la dictature des marchés financiers. Tous ceux qui n'ont plus que leur

101

indignation à opposer, et aussi ceux qui ont choisi le terrorisme comme vecteur de diplomatie. Si la dérive doit cesser et la tendance s'inverser, il faut une révolution mondiale. Une sorte de redistribution des cartes. Je suis de ceux qui pensent qu'une telle chose est de l'ordre du possible, sans qu'on ait forcément à placer des bombes. Je ne cesse en effet d'imaginer un monde où ces forces qui nous animent, nous autres *ewusus*, pourraient enfin être utiles à tous les peuples du monde. C'est pourquoi je prône l'intrusion des *ewusus* dans le mouvement scientifique et la recherche fondamentale. Ce n'est d'ailleurs pas une nouveauté dans l'histoire car d'autres l'ont fait bien avant nous, à leur manière.

« En effet, il suffit d'examiner certaines découvertes scientifiques. Prenons le téléphone portable, par exemple. Objet utile entre tous, il est dans toutes les poches et personne n'imagine plus vivre sans l'avoir à portée de main. Vous attrapez cette petite boîte, vous tripotez quelques touches et subitement vous voilà en train de parler à votre mère exilée dans un village perdu. Vous avez beau regarder, non, rien d'autre ne vous relie. Tout ce que vous avez dans la main c'est une petite boîte froide qui vous restitue les émotions de votre vieille mère. C'est banal désormais, le téléphone portable, et on ne demande à personne de comprendre ce qu'est une onde électromagnétique pour avoir le droit de s'en servir. Il suffit de quelques formules sur un tableau noir pour initier un étudiant moyen à son fonctionnement, et même des petits bricoleurs sans grade prospèrent dans le dépannage de cet appareil. S'il existe un objet démocratique par définition, c'est bien le téléphone portable : il recueille des voix, et en très grand nombre. Aujourd'hui il ne s'en contente d'ailleurs plus, le voilà qui se met aussi à véhiculer des images et tout le monde trouve ça normal. Même chose pour la radio qui nous poursuit partout avec ses nouvelles fraîches. Je suis pourtant sûr que si l'on exhumait mon vénérable arrière-grand-père, face à un tel spectacle il retomberait raide en criant à la sorcellerie. Et je pense qu'il n'aurait pas entièrement tort. Car moi-même, agrégé de physique de mon état, chercheur connu et reconnu, je soutiens qu'à l'origine de ces trouvailles baptisées scientifiques se cache une suite de démarches pour le moins occultes. C'est peut-être évident pour nous maintenant d'appeler les gens au téléphone ou d'écouter les infos à la radio, mais je ne pense pas que ça l'était autant pour les premiers à qui on vint raconter qu'il était naturel de se servir d'une onde imaginaire pour transporter du son et des images. Je reconnais volontiers du génie à Graham Bell qui inventa le téléphone et prononça la première phrase téléphonique en 1876, j'ai encore plus de considération pour Heinrich Hertz qui mit en évidence les ondes radio en 1888. Ces gens-là ont à tout jamais changé notre existence. Moi je veux bien croire qu'un type se soit levé un beau matin et ait eu l'intuition qu'on pouvait véhiculer des paroles dans un câble ou dans l'air et surtout qu'il ait fabriqué un appareil pour le prouver, mais personne ne réussira jamais à me faire accepter qu'un tel type était un homme normal. Qu'il n'était pas dans son pays une sorte de *ewusu*, en tout cas quelqu'un qui avait comme nous autres la faculté d'allier la pensée au pouvoir. Pour tout dire, je ne vois pas quelle différence il y a entre promener la parole de câble en câble et se promener soi-même d'arbre en arbre. Nous sommes là en face de deux phénomènes relevant du paranormal, et ce n'est pas parce que les uns ont pu traduire leur sorcellerie en équations mathématiques que les autres qui ne l'ont pas encore fait ne sont pas crédibles.

« C'est fort de toutes ces convictions que je me suis mis en tête de fédérer les énergies de quelques *ewusus* extrêmement compétents. Nous sommes treize au total, tous des intellectuels africains agrégés des sciences occidentales et profondément imprégnés de nos traditions respectives. Nous nous sommes fixé pour but de puiser dans nos vies occultes des idées et des pouvoirs que nous traduirons en leçons susceptibles d'être transmises à tout homme par le canal d'un enseignement académique normal. Cela conduira à la naissance d'une nouvelle science qui produira dans chaque pays, grand ou petit, une élite capable de s'imposer par le dialogue ou par la force, qui aura la capacité de libérer son territoire, ensuite la possibilité de le sécuriser, et enfin la liberté de le développer à sa guise. Que ce soit aux *ewusus* de se charger de lancer une telle révolution n'est que justice, car si au lieu de se massacrer à travers les siècles ils avaient été plus attentifs à l'évolution de la société, il n'y aurait eu ni traite négrière, ni colonisations, ni Shoah.

« Notre première réunion eut pour objet de dégager quelques axes de recherche intéressants. Les propositions affluèrent tellement que pour ne pas nous disperser nous fûmes obligés de circonscrire trois domaines d'études – l'homme, la nature et les objets – et de nous répartir en trois ateliers chargés de creuser des ouvertures chacun dans sa direction. La synthèse des premiers travaux donna les résultats suivants :

« Le groupe qui était chargé des études sur l'homme s'engagea à fournir, pour un début, des solutions simples à deux phénomènes : la *jeunesse infuse* qui permettra à chacun de reprendre pour quelque temps l'aspect qu'il avait à une époque précise de sa vie antérieure ; le *voyage retour* par lequel quelqu'un pourra entreprendre de remonter le temps pour se rendre où il veut à une période donnée de l'histoire.

« Le groupe qui travaillait sur la nature étudia deux sujets : les *plantes médicinales* et les *instincts animaux*.

« Dans le dernier groupe on ne retint qu'un seul sujet : le *dégagement matériel*.

« Chaque groupe se retira pour travailler et un mois plus tard les expérimentations commencèrent. Par session on recevait un seul groupe. Il s'agissait de reproduire mille et une fois chaque phénomène dans plusieurs conditions différentes, de nuit et de jour, il fallait répertorier les variations, les difficultés, les limites, les conséquences, etc. Tout cela demandait du temps et de la patience. Chacun des treize *ewusus* présents apportait ses remarques, et quand le phénomène était jugé fiable on passait au suivant.

« Le premier groupe valida ses sujets à la satisfaction générale. Les modalités de la *jeunesse infuse* furent parfaitement cernées et cela suscita un grand enthousiasme. Je suis certain que lorsqu'il sera publié ce phénomène nous attirera la sympathie de toutes les femmes de la planète. Je n'ai pas besoin de t'en dire plus, toi qui m'as vu à l'œuvre à la sortie d'une boîte de nuit… Même bonheur pour le *voyage retour*, qui nous permit d'aller vérifier quelques faits historiques comme l'assassinat de Thomas Sankara en 1987 et ce qu'il advint exactement de Hitler en 1945.

« Le deuxième groupe travaille sur la durée, car il y a beaucoup d'animaux et de plantes à tester. Toutefois il est déjà établi que la plupart des animaux ne sont pas dupes, ils sont servis par un instinct qui ne les trompe jamais. Pendant la première session qu'on leur consacra, les *ewusus* de ce groupe démontrèrent qu'on pouvait par exemple transmettre à l'homme l'instinct d'un chat. D'autre part nous avons testé avec eux des sirops d'écorces qui soignent le paludisme en un quart d'heure, des décoctions qui détruisent toute cellule cancéreuse, une mixture contenant entre autres des feuilles de betteraves et qui est radicale contre la drépanocytose, une poudre de racine qui cicatrise les plaies en un temps record.

« Quant au troisième groupe, celui qui s'occupe des objets et dont l'unique sujet est le *dégagement matériel*, il n'a pas encore obtenu la validation de ses recherches. C'est dans ce groupe que je travaille et j'ai quatre autres confrères à mes côtés. Nous sommes deux Camerounais, un Béninois, un Nigérian et une Ghanéenne. Partant de nos multiples aventures et mésaventures nocturnes, nous avons élaboré le concept du *dégagement matériel* qui englobe tous les moyens qui permettent de déplacer un objet sans le toucher. Cette théorie vise à permettre aux hommes de se servir de leur seule volonté pour mouvoir n'importe quel objet d'un point à un autre. Pour accomplir une telle performance il faut gérer trois phases : la dématérialisation de l'objet, ensuite son téléguidage jusqu'à destination, enfin la restitution de son apparence normale. Dans ce processus la deuxième phase, le téléguidage, est de loin la plus accessible. Les objets bougent autour de nous dans la vie quotidienne plus qu'on ne pourrait le croire. Je connais par exemple des *ewusus* capables de vous siphonner à distance tout le contenu d'un coffre-fort scellé. Pour notre travail nous nous sommes appropriés la meilleure technique qui est celle des violeurs de sépultures qui sévissent dans le Nyong-et-Kéllé. Ces gens de l'ombre, qui convoitent les ossements humains pour divers trafics ésotériques ou bassement commerciaux, sont capables de soustraire un mort de sa tombe sans donner un seul coup de pioche. Nous avons fait des tests au sein de notre groupe : des chaussures, des stylos, des morceaux de plantain se sont retrouvés en balade dans l'espace. C'était déjà intéressant, mais il était question d'améliorer le phénomène en soumettant tous ces objets à la dématérialisation, car on ne pouvait pas prendre sur nous de livrer au monde une technique qui comporte le risque d'occasionner des collusions entre des conteneurs de marchandises et des avions. Seulement, dans notre groupe, il n'y avait personne en mesure d'exécuter une dématérialisation d'objet, ni même dans les autres groupes. En réalité il n'existait plus un seul *ewusu* contemporain capable de faire une chose pareille. Pendant des nuits la consternation fut générale.

« C'est mon collègue Ndame, l'autre Camerounais du groupe, qui nous redonna espoir. Dans le civil c'est un ethnologue de premier ordre, avec pas moins de quinze publications de référence. On est *ewusu* de père en fils dans sa famille depuis au moins l'époque des pharaons. En dehors de ses capacités nocturnes, il est aussi détenteur de plusieurs pouvoirs qui lui furent transmis avec des gris-gris pendant son initiation à la dignité de grand chef coutumier de sa tribu. C'est donc Ndame qui nous raconta que la dématérialisation des objets se pratiquait couramment jadis parmi certains *ewusus*. Il nous certifia avoir fait une étude sur le sujet. Selon cette étude, la dernière trace de dématérialisation remonterait à un certain Jam-Libe qui vécut dans un village appelé So-Maboye, lequel se trouve aujourd'hui à quelques kilomètres de la gare de Messondo dans la forêt du Nyong-et-Kellé. Ce fameux Jam-Libe mourut en 1705 pendant la saison des mangues sauvages. Eh bien, Ndame nous proposa tout simplement d'aller en 1705 chercher la technique qui nous manquait pour parachever notre œuvre, puisque le *voyage retour* était aujourd'hui chose possible comme l'avaient démontré nos amis du premier groupe. Les séquences de son raisonnement étaient tellement précises que nous décidâmes de tenter cette aventure.

« Qui donc allait entreprendre le *voyage retour* et aller à la rencontre de Jam-Libe en 1705 pour le convaincre de nous céder sa technique de dématérialisation ? Nous étions tous les cinq volontaires, mais un seul critère s'imposait pour la sélection de l'heureux élu : il fallait quelqu'un qui parle parfaitement la langue de Jam-Libe. Cet aïeul avait vécu en territoire *bassa* dans un village où on n'avait sans doute jamais entendu une autre langue avant l'avènement du train. Malheureusement, de tous les treize *ewusus* qui composaient notre cercle de recherche, il n'y en avait pas un seul de la tribu Bassa.

« Les nuits passaient, la date de l'audition de notre groupe se rapprochait et on continuait à tourner en rond. Comment allaient réagir les autres membres du Cercle si le groupe dans lequel figurait l'initiateur de toute l'affaire se présentait avec un travail incomplet ? Il fallait trouver quelqu'un coûte que coûte, mais qui coopter ? J'étais sur le point de tenter une manœuvre désespérée lorsqu'une certaine nuit, en sortant de chez moi pour une petite palabre entre gens d'influence, je détectai un jeune *ewusu* qui me filait avec une détermination marquante... Les bonnes coutumes de notre univers parallèle n'incitent pas au laxisme en pareille circonstance, car les filatures annoncent très souvent des exécutions. Pourtant cette nuit-là mon petit doigt ne cessa de me conseiller d'attendre, quelque chose me disait de ne pas réagir avec ma brutalité habituelle. Aussi me prescrivis-je la patience, l'observation et la ruse. Je m'en suis longuement félicité quand dans ma chambre où je t'avais coincé, jeune homme, tu m'as avoué être le petit-fils de Mispa. J'ai dû faire un gros effort de comportement pour ne pas t'embrasser, car la providence venait de m'offrir dans un écrin le candidat idéal pour le *voyage retour* à destination de l'an 1705.

— Nom de Dieu !

— Personne d'autre ne présente actuellement un profil meilleur que le tien : tu es jeune, tu es *ewusu*... Et surtout tu es bassa, comme l'ancêtre Jam-Libe, puisque Mispa est ta grand-mère paternelle. Et puis tu as de la suite dans les idées. Car pour oser venir tout seul s'attaquer au vieux Ada chez lui à Yaoundé il faut être soit téméraire et inconscient, soit courageux et suicidaire, soit tout cela à la fois. Exactement les qualités et les défauts qui sont nécessaires pour aller remplir cette mission. Il n'y a pas de doute, Nsona, c'est toi l'homme de la situation.

Ada avait dit cette dernière phrase en me donnant une petite tape avec une jovialité amicale, d'un ton conciliant qui semblait indiquer que mon avis comptait.

Pourtant une lueur dans ses grands yeux me disait que je n'avais pas intérêt à élever la moindre protestation.

– A supposer que j'accepte, quand cela doit-il se passer ? demandai-je.

– Il n'y a plus de temps à perdre. Dans quinze nuits mon groupe sera convoqué pour procéder aux auditions et aux expérimentations définitives. Il faut que tu sois de retour d'ici là. Or nous avons encore plein de choses à faire pour préparer ton départ. Viens, nous allons tout de suite rencontrer mon ami Ndame qui nous attend depuis un moment. C'est lui qui t'expliquera les modalités du *voyage retour*.

Nous avons mis le cap en ligne droite sur le quartier Ngoa-Ekelle où nous avons retrouvé Ndame au pied du monument de la Réunification. Il habitait un beau duplex non loin de là mais il préféra nous accueillir hors de chez lui. Les présentations furent vite faites. Bertrand Ndame avait une cinquantaine d'années, une poignée de main vigoureuse et l'air de ce qu'il était : un sorcier. Je ne sais pas pourquoi il se donnait tant de mal pour entretenir une longue barbe de bouc. Ce monsieur semblait d'emblée rébarbatif mais, dès qu'il ouvrait la bouche, il devenait fascinant d'intelligence et de cohérence. Sans trop de salamalecs il entra au cœur du sujet.

– Le *voyage retour*, me dit-il, est une technique qui ne date pas de longtemps. C'est un pur produit du travail de recherche de notre génération, qui n'est pas encore vulgarisé chez les *ewusus* dont seule une poignée en maîtrise la recette à l'heure actuelle. Je vais vous faire le topo le plus exhaustif possible de chaque articulation avec ses modalités, et je ne saurais trop vous conseiller d'ouvrir tout grand vos oreilles, parce qu'il se pourrait bien qu'une fois arrivé sur le terrain vous n'ayez plus personne pour vous guider. Je vous prie de ne pas hésiter à m'interrompre, si quelque chose vous semble flou dans mes explications. D'accord ?

– D'accord.

– Bien. Pour être en mesure d'engager un *voyage retour* il faut commencer par se rendre physiquement à l'endroit où on désire atterrir dans le passé. Quand je dis physiquement, cela signifie qu'il faut d'abord s'y trouver en chair et en os dans le présent. Cette précision est capitale parce que, si vous quittez le présent sans vous assurer que le corps physique que vous abandonnez momentanément repose dans le même périmètre qui va vous accueillir dans le passé, tout retour vers notre époque se révélera par la suite impossible. Cette unicité de lieu ne devra jamais être interrompue pendant toute la durée du processus, et on a établi que le périmètre d'action d'un transfuge ne doit pas excéder un rayon de quinze kilomètres. Ensuite il faut disposer des facultés d'un *ewusu*, c'est-à-dire être libre comme l'air. C'est la logique la plus élémentaire qui le commande, car pour aspirer à remonter le temps il faudrait déjà être capable de voyager dans le présent sans bouger de son lit. Quand ces deux conditions sont remplies, théoriquement on est prêt pour le départ. Mais il n'est pas superflu de prendre quelques petites précautions avant de mettre les voiles.

« Voyager dans le temps implique une sortie en *ewusu* puis un abandon du corps charnel dans un monde où l'on sera absent, dans l'espoir de revenir. La transformation devant le plus souvent s'opérer dans un lieu inhabituel, en vertu de la nécessité de se déplacer afin de respecter l'unicité de lieu que j'ai évoquée plus tôt, il faudra organiser autour du corps restant une sécurité de tous les instants. L'idéal consiste à se mettre sous la protection d'un *ewusu* local qui saura tenir les importuns à l'écart. Autre chose, le point précis où s'effectuera le départ doit être méticuleusement choisi. La nature offre plusieurs choses qui savent rester à peu près immuables pendant des siècles et qui sont d'excellents points de repère sur lesquels on peut s'adosser : tout d'abord le relief et l'hydrographie, mais on peut aussi compter sur certains arbres. Il faut donc faire un bon repérage et se déterminer par rapport à ces éléments. Quand l'endroit est choisi il faut l'emménager, et pour cela il faut tenir compte d'une donnée essentielle : la terre.

« En effet, depuis que le monde existe, toutes les générations d'hommes qui se sont succédé n'ont eu que trois biens en partage : le Soleil, la Lune et la Terre. Laissons les deux premiers et occupons-nous de notre chère Terre. Nous marchons sur le même sol que Lucy l'australopithèque, les hommes de Neandertal et de Cro-Magnon, Jésus-Christ, Chaka le Zulu et Michael Jackson, à quelques latitudes près. Tous ces gens, ou presque, reposent à six pieds sous terre. La terre ou le sol, plus prosaïquement, est donc notre lien à tous. C'est pourquoi dans les préparatifs d'un *voyage retour* l'emménagement de l'endroit choisi consiste à creuser une fosse de deux à trois mètres de profondeur, dans laquelle viendra se coucher le candidat au changement d'époque, entièrement nu et dos contre terre. Là où il gît au fond de sa fosse, le candidat, avant même d'avoir commencé sa transformation, appartient déjà un peu au passé, dans la mesure où il est au contact direct d'une couche de sol qui fut fatalement foulée par les gens du temps jadis. En outre, cela permettra d'optimiser le rapport qui doit toujours exister entre le corps physique ancré dans le présent et le corps astral projeté dans le passé, où devra s'opérer automatiquement la restauration de l'apparence humaine. Cette fosse est, disons-le de manière triviale, une sorte de piste de décollage et d'atterrissage. Voilà pour la mise en place, il reste maintenant à voir comment on procède pour s'orienter efficacement dans le temps. Car dans un *voyage retour* s'échapper du présent est une chose, arriver à une époque précise du passé en est une autre.

« Les recherches qui se poursuivent fourniront peut-être d'autres possibilités. En attendant, le premier moyen fiable pour se caler sur une époque précise du passé consiste à se servir d'un objet remontant au moins à l'époque visée. Une seule précaution à prendre : il faut avoir daté cet objet avec certitude. Les objets présentant l'inconvénient de pouvoir traverser les ères, cela induit un risque d'erreur proportionnel à la longévité de chaque objet. Je veux simplement dire que si vous avez par exemple sous la main en 2011 une lance qui avait servi en 1890 et que vous l'utilisiez pour entreprendre un *voyage retour* vers disons 1950, vous avez de fortes chances de vous tromper d'au moins cinquante ans dans un sens ou dans l'autre… Sauf si vous connaissez l'histoire de cette lance, car on a pu certifier qu'un objet vous ramène toujours à la journée au cours de laquelle il a été le plus utilisé. C'est pour cela qu'il convient d'être circonspect dans le choix de l'objet, pour éviter par exemple de se retrouver dans une tranchée de Verdun en 1916 alors qu'on pensait se rendre à l'exposition universelle de Paris qui se tint en 1889. Fort heureusement, il y a des objets qui sont infaillibles quand il s'agit de rechercher des gens du passé : si vous avez le moindre lambeau des vêtements ensanglantés de Ruben Um Nyobe, vous assisterez le 13 septembre 1958 à son exécution dans le maquis de Boumyebel, en courant quand même le risque de vous prendre une balle perdue ; si vous vous servez de la Joconde, vous êtes censé atterrir dans l'atelier de Léonard de Vinci quelque part entre 1503 et 1506, et il vous reviendra d'expliquer au grand maître ce que vous faites là. La moindre pièce d'un squelette humain constitue aussi un bon moyen d'aller se retrouver en présence d'un personnage perdu dans les méandres de l'Histoire. Dans le même ordre d'idées mais en sens inverse, un objet vous appartenant vous permettra de retrouver en phase retour votre enveloppe charnelle dans la fosse, et à la bonne période.

Toutefois, un objet n'est pas le seul moyen de s'orienter dans le temps quand on navigue vers le passé, il en existe un deuxième, peut-être encore plus fiable que le premier...

« Lorsque le choix du lieu est fait, que la présence physique du candidat en ce lieu au fond d'une fosse est effective, que deux objets conduisant aux deux époques opposées sont disponibles, et enfin que les capacités d'*ewusu* du candidat sont avérées, le cérémonial de départ peut enfin commencer. C'est à ce niveau que tout se passe. Je ne pourrai vous dévoiler cette partie du processus, qui est la plus importante, seulement quand vous vous serez engagé devant la fosse à remplir cette mission et à en respecter à la lettre toutes les modalités. Je peux quand même vous assurer que ça ira très vite. En moins de cinq minutes vous vous retrouverez de l'autre côté, dans le passé, et ce sera alors à vous de jouer.

« Une fois arrivé en 1705 dans le village de Jam-Libe, la moindre des choses c'est qu'il vous faudra avoir l'air de quelqu'un du cru. Souvenez-vous toujours que nous parlons d'un village au cœur de la forêt équatoriale africaine où l'homme blanc n'a pas encore mis les pieds, ni lui ni sa culture ni sa technologie. Un village où les gens ne soupçonnent même pas qu'il puisse exister des hommes d'une autre race que la leur. Vous devrez être comme ces gens-là, et il ne faudra jamais que votre appartenance à leur horde soit un seul instant remise en question. Il en va de votre survie. Il vous faudra penser, parler, agir et surtout paraître comme eux. C'est pourquoi votre premier souci sera de vous trouver par tous les moyens des vêtements, ou ce qui en tient lieu. Une fois arrivé vous aurez le temps d'approfondir votre connaissance de la mode locale. Pour l'instant ce que vous devez savoir c'est que le cache-sexe représentait à lui seul l'essentiel de la collection vestimentaire de cette époque, hommes et femmes confondus. Il était fabriqué à base d'écorce d'arbres battue ou de peaux d'animaux tannées. On marchait invariablement pieds nus, vous vous y ferez. Comme vous n'êtes déjà pas d'un naturel bavard ce sera à votre avantage, car moins vous en direz mieux cela vaudra ; parce qu'il y a certainement quelques petites différences entre la langue bassa parlée de nos jours et le bassa pur qui avait alors cours. Vous devriez pouvoir tirer votre épingle du jeu avec un peu de finesse et beaucoup d'écoute. Quand vous serez vêtu, vous vous débrouillerez pour intégrer la population de ce village, et alors vous pourrez vous lancer à la recherche de Jam-Libe.

« Bonne nouvelle : pendant que vous serez là-bas dans le passé, vous ne serez pas complètement coupé de nous. En effet, il vous sera possible de communiquer avec nous qui serons dans la fosse autour de votre corps physique à assurer la veille. Il suffira pour cela de vous transformer en *ewusu* dans la nuit et de revenir vous allonger exactement à l'endroit où est censée être la fosse, dans la même position. Si au même moment nous ici nous posons les mains sur votre corps, le contact s'établira et on pourra se parler. Nous aurons toujours la même heure, vous là-bas et nous ici, ça c'est indiscutable parce que les fuseaux horaires n'ont jamais changé de position que je sache. Il sera donc difficile de se rater puisque la nuit tombera au même moment des deux côtés. Seulement, il n'est possible de procéder de la sorte que pendant les trois premières nuits. Passé ce délai la communication se brouillera de manière irréversible. »

— Ce qui revient à dire que si trois jours après mon arrivée en 1705 je n'ai pas rempli ma mission, je serai totalement livré à moi-même.

— Exactement. Mais ça ne viendra pas aggraver votre situation plus qu'autre chose, car vous saurez déjà comment procéder pour rentrer. Le plus important c'est que vous reteniez ceci : l'ensemble de votre *voyage retour* ne devra pas dépasser dix jours et dix nuits. Quoi qu'il arrive. Mission remplie ou pas, il est impératif que vous reveniez ici pour réintégrer votre enveloppe charnelle au plus tard dix nuits après votre départ. Sinon… Voilà pour les généralités.

— Maintenant passons aux choses pratiques, rebondit directement Ada sans me laisser le temps de déglutir. Nsona, demain matin tu prendras le train pour Messondo. Sois à la gare avant 7 heures 30. Quand tu arriveras à Messondo, demande le domicile de M. Nliba du village So-Maboye. Je répète le nom afin que tu le retiennes bien : Nliba. C'est quelqu'un de très connu là-bas, un homme respectable de mes amis. Il est déjà prévenu de ton arrivée et il te prendra directement sous sa protection. C'est lui qui est chargé de t'emmener dare-dare sur le site où était implanté le village de Jam-Libe à l'époque qui nous intéresse. Il semblerait qu'il y ait eu une petite migration à un moment, mais Nliba connaît très bien la brousse et il te conduira à l'emplacement original. Tu as vingt-quatre heures pour faire tes repérages et indiquer à Nliba l'endroit où tu souhaiterais que la fosse soit creusée. Nous sommes lundi ; jeudi, Ndame et moi te rejoindrons là-bas et tu mettras le cap sur 1705 à la recherche du secret de la dématérialisation des objets.

*
*   *

Ils auraient dû me prévenir !

J'étais là, face à la deuxième rivière, à regarder de tous les côtés. Manifestement il fallait me résigner à la franchir à gué, elle aussi. La première avait été facile à traverser et je n'avais même pas eu à mettre le pied dans l'eau, car il y avait un tronc couché qui partait de la berge jusqu'au milieu de la rivière, laissant deux mètres d'eau que j'avais vite franchis d'un bond. Mais la deuxième rivière se présentait tout autrement : large d'au moins vingt mètres, elle était parsemée de pierres à cet endroit. Il n'était pas concevable ici de sauter de pierre en pierre pour rejoindre l'autre rive. L'unique solution était de se déchausser, de remonter le pantalon au-dessus des genoux et d'avancer prudemment sur les pierres, qui étaient glissantes quand elles étaient sous l'eau. Heureusement on était en mars et les eaux étaient basses. Les gens ne devaient pas beaucoup se risquer par ici pendant la saison des pluies, quand la moindre crue transformait certainement cet endroit en dangereux torrent. Au beau milieu du gué, alors que je glissai et évitai de piquer une tête au prix d'une remarquable contorsion d'équilibre, je me dis une fois encore que Ada et Ndame auraient quand même pu me prévenir. Une piste de brousse et deux rivières sans pont n'étaient peut-être que des détails de voyage de ce côté du pays, mais si l'on omettait déjà de me donner les détails de ce petit voyage de repérage, combien en avait-on négligé à propos de l'autre… J'eus la chance de parvenir presque à sec sur la rive, et c'est avec soulagement que je retrouvai la même sente bordée de fougères qui s'enfonçait dans la forêt en direction de So-Maboye où résidait Nliba.

So-Maboye était un village qui se tenait tranquille en marge de la marche du monde. Il était composé de huit familles réparties en concessions de cases alignées de part et d'autre d'une piste herbeuse qui ne semblait pas avoir évolué depuis l'époque des dinosaures. Il est vrai que presque toutes les cases avaient un toit de tôle ondulée, des portes avec serrures et des fenêtres avec parfois des antivols métalliques.

Le train était arrivé exceptionnellement avant 11 heures, et c'est sur le quai que des vendeuses de bâtons de manioc m'avaient montré la piste qui s'enfonçait dans la brousse, face à la gare, en direction de So-Maboye. Le soleil était presque au milieu du ciel, pourtant le village semblait vide au premier regard. Les portes des grandes cases étaient closes et les enfants ne jouaient pas au foot, torse nu, dans la cour. Toutefois, de minces filets de fumée s'échappant des cuisines montraient qu'il restait heureusement des gens dans le village. A cette époque de l'année certaines femmes pouvaient se permettre d'être à la maison à pareille heure, car tous les hommes n'avaient pas fini d'abattre les arbres des futurs champs avec des coupe-coupe ou parfois des tronçonneuses. Ces femmes en profitaient pour faire la cuisine plus tôt que d'habitude.

Entre deux concessions le long de la piste il y avait parfois cent mètres de broussaille, voire davantage, avec des arbres fruitiers de toutes sortes à tous les coins. Une noix de coco s'échappa d'une douzaine de mètres de hauteur et vint s'abattre à trois doigts de moi tandis que je me dirigeais vers la troisième concession ; je levai les yeux au ciel et vis un écureuil qui planait d'un cocotier à un manguier avant de disparaître sur un palmier. Ayant attentivement regardé la distance qui séparait ce cocotier-là de la concession que j'avais juste devant moi, je ramassai la noix de coco et marchai jusqu'à la case principale. Cette maison était bien telle qu'on me l'avait dépeinte. Elle aussi semblait vide, mais je percevais des bruits de cuisine venant de l'arrière. Avec la noix sous l'aisselle, j'en fis le tour et me pointai à l'entrée de la cuisine. Une femme pilait énergiquement du manioc dans un mortier, elle resta le pilon en l'air en me voyant.

– Bonjour, madame. C'est bien le domicile des Nliba ici ? demandai-je en langue bassa.

– Oui.

– Je m'appelle Alain Nsona et je viens de Yaoundé.

– Ah, c'est toi qui viens de la part de Ada ? me demanda-t-elle en me tutoyant d'office comme c'est l'usage dans toutes les langues vernaculaires du pays.

– Oui, c'est moi.

– Il nous a prévenus. Mais on pensait que tu viendrais par l'autorail du soir, et mon mari devait aller t'attendre à la gare.

– Ada a finalement pensé que ce serait mieux que j'arrive en plein jour… Tiens, voilà une noix que j'ai ramassée sous votre cocotier.

– Montre-moi quel cocotier, dit-elle en se levant avec son pilon en main.

– Celui que tu vois là.

– Ouh, je t'en prie, va vite remettre la noix d'autrui ! Ce n'est pas notre cocotier et moi je ne veux pas d'histoires avec les Yamb, s'ils se rendent compte que leur noix a seulement transité par ici…

Tandis que je m'en allais, confus, remettre la noix à sa légitime place, Mme Nliba ouvrit portes et fenêtres de la maison principale puis se mit sur le seuil pour m'inviter à entrer dans le salon par la porte centrale. La pièce avait juste la mesure nécessaire pour contenir sans trop encombrer, d'un côté quatre légers fauteuils autour d'une table basse tellement grossière qu'on en aurait fait deux avec les mêmes lattes sans lésiner sur la sciure de bois, et de l'autre côté une table à manger avec six chaises autour. Tous ces meubles étaient faits d'un bois précieux, issu de la forêt environnante. On n'avait pas jugé nécessaire de mettre un plafond. En levant les mains au-dessus de ma tête j'aurais pu nettoyer les charpentes de leurs toiles d'araignées. Par endroits sur les murs s'effritaient des plaques de béton, révélant la belle architecture traditionnelle de bambous et de terre battue associés. Il y avait une lourde pendule prête pour le musée et le portrait en noir et blanc d'un homme âgé qui portait sur la tête un calot noir tissé, avec une plume d'oiseau fichée dedans. Je regardai attentivement l'homme sur qui allait reposer l'essentiel de ma sécurité pendant deux semaines.

– Henri est en brousse pour le nouveau champ, il sera de retour vers 14 heures... C'est tout ce que tu as comme bagage ?

– Oui.

– Tu peux poser ton sac dans cette chambre, c'est celle de mes fils. S'ils n'étaient pas en classe, ils t'auraient déjà emmené nager dans la Libanga. Je rentre dans la cuisine, j'ai encore une pleine cuvette de manioc à piler, puis il y a les bâtons à attacher.

– Je pourrais piler, puisque je suis là, et tu n'auras qu'à attacher les bâtons de manioc. Ça ira plus vite.

– Tu es bien gentil, mais ce n'est pas commode. Tu risques avant cinq minutes d'avoir du manioc jusque dans les oreilles, toi qui viens juste d'arriver. Regarde de quoi j'ai l'air, moi.

La chambre des garçons était un modèle de chambre de garçon : désordre et simplicité partout. Deux lits à étage occupaient la plus grande place, proposant quatre couches dont trois seulement étaient quotidiennement investies. Le territoire de chacun semblait être marqué par des vêtements froissés balancés sur et parfois sous le lit, en plus des quelques bandes dessinées qui n'avaient pas eu l'honneur d'encombrer la table d'étude en compagnie d'une foule de livres et de cahiers, dont certains semblaient dater de la Réunification alors qu'on n'avait même pas fini le deuxième trimestre de l'année en cours. Il y avait des clous fixés aux murs, en guise de patères, qui supportaient d'autres vêtements. En regardant livres et cahiers je pus vérifier qu'il y avait bien ici trois élèves : deux de troisième et un de cinquième, mais tous les trois se nommaient Nliba III. Un peu de graphologie avait aidé à les distinguer ; dans leur lycée on devait sans doute se servir de leurs dates de naissance pour ne pas les confondre sur les listes. Les maîtres des lieux avaient laissé leur fenêtre largement ouverte, ce qui donnait aux passants de la piste une vue imprenable sur leurs appartements privés. Je déversai sur le lit vacant le contenu de mon sac à dos : un jean, deux T-shirts, un caleçon, une trousse de toilette, une paire de tongs, une lampe-torche, des écouteurs, une tablette numérique et un vieux PCMAX de mai 2002. Je jetai le sac par-dessus mes effets sur le lit, me passai les écouteurs autour du cou, puis sortis de la chambre en direction de la cuisine.

Mme Nliba, badigeonnée de pâte de manioc, ne s'arrêta pas de piler cette fois quand j'entrai dans sa cuisine. La pièce était spacieuse. Une claie de deux niveaux noircie par la fumée de mille et une cuissons barrait toute la largeur du fond. Sur l'étage du dessus on pouvait voir des paniers d'osier de diverses tailles et deux longs sacs de pistaches rescapés de l'inflation des prix de la mi-décembre, qui n'avaient pas rejoint le marché pour raison de consommation familiale. L'étage inférieur était couvert par-ci par-là de poissons fumés, de boules de manioc destinées à la préparation rapide de couscous, de calebasses minutieusement bouchées qui devaient receler des condiments antiques. Trois houes étaient accrochées sur le rebord de cet étage de la claie. Deux foyers traditionnels fabriqués à même le sol sous la claie berçaient toutes ces victuailles de leurs fumées, et de temps en temps l'éclatement d'une bûche dans le feu soulevait quelques étincelles. Près du feu, trois marmites de différentes tailles, noires de cendre, qui devaient encore contenir les restes de la veille ou de l'avant-veille régulièrement réchauffés. Il restait de la place sous la claie pour une dame-jeanne aux trois quarts pleine d'huile de palme, juste près d'un douillet nid orné de quatre œufs qu'une poule avait abandonnés en s'échappant par une minuscule ouverture pratiquée à la base du mur. Un peu sur la gauche, il y avait une petite table sur laquelle trônait une plaque chauffante moderne à trois foyers, reliée par un tuyau blanc à une bouteille de gaz posée juste à côté. Il y avait aussi un banc de bois à l'extrémité duquel on avait fixé une petite machine rustique à manivelle qui sert d'habitude à écraser les graines d'arachide ou de pistache. Mais cette machine ne devait certainement pas rendre autant de services que la large pierre plate gisant sur des parpaings de ciment assemblés au centre de la cuisine ; car c'était visiblement sur cette pierre plate que s'écrasaient à la main tous les ingrédients des multiples sauces *mbongo* que l'on préparait quotidiennement ici. Dans un coin il y avait une étagère, toute simple, sans battant ni cloison, qui contenait la vaisselle de Mme Nliba avec d'un côté les marmites et de l'autre les plats et les cuillères. A côté de cette étagère, posée par terre, une très grosse marmite en aluminium était remplie d'eau. Mon regard fut ensuite attiré par deux fils électriques rouges qui descendaient le long du mur pour se terminer à mi-hauteur par une prise de courant. J'avais beau regarder, je ne voyais pas ce qu'il y avait à brancher, mais peut-être la femme avait-elle un mixeur ou une friteuse électrique caché quelque part. Un lit inattendu trônait contre un mur, avec un matelas nu qui devait rendre bien des services entre deux cuissons ; mais il devait surtout être plus utile comme banc, le soir, quand d'autres ménagères des environs venaient prendre un peu de sel et ne s'en allaient qu'une heure plus tard après quelques cancans. Dans un angle étaient disposés divers outils : quelques machettes, un plantoir, une hache, une pioche et une pelle. Une large fenêtre qui donnait sur l'arrière distribuait de la lumière, et il régnait là-dedans une chaleur qui ne semblait pas incommoder la brave femme. Son dernier mortier pilé, elle se lava les mains dans une petite cuvette dont elle projeta aussitôt le contenu à travers la fenêtre. Un sac de sel gisait contre un pilier de la claie, elle plongea la main dedans et vint en saupoudrer sa pâte de manioc qu'elle tourna et battit ensuite. Elle la goûta et ajouta du sel.

— Y a-t-il un chemin autre que le gué pour aller au centre-ville ? lui demandai-je.

— Oui. Tu n'as qu'à continuer sur la piste par laquelle tu es arrivé, en prenant le chemin de gauche à tous les carrefours. Mais c'est beaucoup plus long.

— Par là, est-il possible d'arriver au lycée ?

— Oui. Une fois sur la grande route, tu ne peux pas te perdre.

— Je vais voir du pays, je serai sans doute de retour en même temps que les garçons.

— Henri sera déjà arrivé. Je lui dirai que tu es là, dit-elle sans cesser de malaxer sa pâte blanche.

A peine sur le chemin, je croisai une grand-mère qui rentrait des champs. Toute menue et fripée, âgée d'au moins soixante-quinze ans, elle avait sur la tête un panier surmonté d'une telle charge de bois qu'on se demandait comment elle arrivait encore à mettre un pied devant l'autre. Un bout de papaye, un régime de noix de palme et une botte de légumes apparaissaient par endroits entre les morceaux de bois. Je m'écartai du chemin et la saluai, elle répondit d'une voix fluette. Je traversai quelques concessions tranquilles. A un coin de brousse je vis un hangar sous lequel deux fûts bouillaient sur le feu d'un long foyer rudimentaire. Trois hommes œuvraient là : le premier nourrissait à profusion le feu de bambous secs et les deux autres marchaient en rond autour d'un pressoir à huile de palme, faisant tourner les mécanismes grâce à un long bâton horizontal que chacun poussait devant lui. Ils étaient torse nu et leurs guenilles, accrochées à une corde, battaient l'air comme des girouettes. Ils s'arrêtèrent tous de travailler et me saluèrent comme s'ils m'avaient toujours connu. Ils se remirent à tourner comme des derviches et je continuai mon chemin vers une vallée où plus on descendait plus on sentait le froid gagner. Un sphinx tête-de-mort vint tournoyer autour de mes oreilles, je lui envoyai une gifle et le ratai mais cela suffit à persuader l'insecte d'aller plutôt siffler sur les hautes herbes. Au fond de la vallée coulait un ruisseau dont le lit majeur, bien visible, n'allait pas bien loin. On ne voyait pas le moindre alevin bouger dedans et il serpentait tristement entre les arbres, garni d'une fange nauséabonde sur chaque rive. On avait installé à cet endroit une petite buse que le pauvre ruisseau, en perte de débit sans les pluies, avait presque comblée de boue. Sur l'autre versant, une vaste palmeraie s'étendait à perte de vue, que je longeai jusqu'à un carrefour où la piste débouchait sur une route en terre très poussiéreuse. Cet axe à peu près carrossable était déjà un luxe pour la région, quand on tenait compte des premiers éléments de la carte routière de So-Maboye.

Je pris le chemin de gauche, parcourus cent mètres après un virage en épingle et traversai un hameau composé d'une demi-douzaine de cases disposées en désordre des deux côtés de la route. Il y avait même une petite église en terre battue, avec une jante de roue de voiture en guise de clocher. On voyait plus de tombes que de maisons. Il y avait un autre carrefour à cet endroit, je virai à gauche.

Un bruit de cascade ou de chute d'eau capta un moment mon attention, mais j'en fus vite distrait par trois porte-tout, craquant et grinçant, qui arrivèrent à la queue leu leu conduits par de robustes jeunes gens qui avaient de la poussière jusqu'aux genoux, poursuivis par une forte odeur de sueur. Poussant chacun deux cents kilos voire plus de manioc ensachés, ils attaquèrent au pas de course, mollets bandés, un virage à la naissance d'une petite colline et bientôt disparurent après le sommet.

Quand j'arrivai au milieu de ce virage je vis sur ma droite, à travers les troncs et les feuilles d'une autre palmeraie, une suite de rutilantes toitures de bonne tôle qui composaient trois longues rangées de bâtiments. Quelques mètres de montée me révélèrent un campus de toute beauté, aisément reconnaissable à l'architecture de la plupart des établissements d'enseignement secondaire du Cameroun. D'ailleurs le brouhaha qui s'élevait de l'endroit ne permettait aucun doute. Comme il était 12 h 36, c'était la pause de midi, et les élèves, en tunique bleu ciel et pantalon bleu marine ou en robe bleu ciel, criaient et couraient dans tous les sens, slalomant bientôt autour de moi sans vraiment se préoccuper de ma présence. Les plus grands discutaient dans leurs classes ou étaient assis aux fenêtres, d'où ils lançaient des vannes à d'autres élèves installés sur le rebord des fenêtres des bâtiments d'en face. Là-bas, à l'autre bout du campus, s'étendait un vaste terrain de football. Même sur les aires réservées au handball et au volley on jouait au foot. Un gardien de but sortit en raquette dans les pieds d'un attaquant, s'empara du ballon qu'il relança d'un grand coup de pied, avant de rentrer deviser tranquillement avec ses supporters en guettant l'action qui se poursuivait vers les buts adverses. Je m'infiltrai dans ce groupe et demanda qui s'appelait Nliba III.

— Lequel ? me demanda le brave gardien.

— L'un des trois, peu importe lequel, répondis-je.

— Celui de la 3M1 est puni dans le bureau de M. Mani, dit un élève.

— Le grand doit être dans sa classe, ajouta un deuxième.

— Mouche est allé nager dans la Libanga avec les filles, compléta un troisième… les voilà d'ailleurs qui arrivent. Ohé, Mouche ! Viens par ici, on te cherche.

Le garçon arriva d'un trait, l'air inquiet, et demanda ce qu'on lui voulait. Il avait douze ans, treize maximum. Il avait visiblement abusé des torrents de la rivière voisine, s'était rhabillé sans s'essuyer, et en séchant il devenait de plus en plus pâle. Sur la poche supérieure de son uniforme, qui avait disputé au soleil une bonne part de l'eau du bain, il était brodé au fil rouge : NLIBA III 5M1. L'un de ses camarades lui fit croire que M. Mani, le surveillant général, avait fait relever les noms de tous ceux qui étaient allés se baigner dans la Libanga, ce qui accentua sa pâleur. A ce moment le gardien détala vers ses buts et quelques secondes plus tard il était mêlé à une action litigieuse, qui capta l'attention de tout le monde, me laissant face au petit Nliba que la peur du surveillant avait rendu philosophe.

— C'est moi qui te cherchais en réalité, lui dis-je.

— Ah ! fit-il, décrispé.

— Je m'appelle Alain, je passais par là, et comme j'avais hâte de rencontrer mes nouveaux voisins de lit…

— C'est donc de vous que papa parlait le matin ?

— Je crois bien que oui.

— Vous étiez déjà à la maison, alors.

— J'ai même pris mes quartiers dans notre chambre. Je fais maintenant le tour du village, et je m'en vais voir de quoi ça a l'air de l'autre côté des rails.

— Je vous aurais bien accompagné, mais si je mets un orteil en route je suis mort.

— On aura le temps. Y a-t-il une boutique où je pourrais trouver des piles pour ma torche ?

— Après la gare, montez vers le centre et demandez la boutique de Morocco. Vous ne pouvez pas la rater : on joue aux dames devant. Est-ce que vous aussi vous jouez aux dames ?

– Non, mais j'aime bien regarder les autres jouer.

– Dommage. Quand Jean Michel était ici dernièrement, il a battu tout le monde là-bas.

Une clameur éclata à l'autre bout de la vaste aire de foot : un but venait d'être marqué. Tandis que les joueurs de l'équipe malheureuse s'engueulaient, leurs adversaires accompagnés de leurs supporters couraient s'empiler sur le buteur qui bientôt se retrouva pris à la base d'une pyramide, qui se fût sans doute transformée en tombeau si une opportune sirène n'était venue mettre un terme à la récréation. Chacun détala en sueur vers sa salle de classe.

– Après les cours on a un match de gueule contre la 5M2. Vous serez déjà de retour ? me demanda Mouche.

– C'est à quelle heure, votre match ?

– 15 heures 30.

– Je serai là.

– Comme ça vous me verrez à l'œuvre, et après on pourra tous ensemble rentrer à la maison. Je file, voilà M. Mbondo qui va dans notre classe.

Mouche disparut comme une vraie mouche et en moins d'une minute toute la cour fut vide. Avant de regagner la route je pus voir au loin, devant un long bâtiment nanti d'un babillard grillagé, un petit homme calme, les mains croisées dans le dos, qui semblait régner sur tout le lycée.

En moins de cinquante mètres j'arrivai sur un pont en bois qui dominait des eaux noires. En réfléchissant à la manière dont j'avais marché depuis le début, prenant toujours sur ma gauche, je compris que cette rivière était la même que j'avais traversée à gué de l'autre côté sur la sente qui coupe à travers la forêt. C'était donc elle qu'on appelait la Libanga, d'ailleurs un panneau planté de l'autre côté du pont me le confirma. Comme Mouche et ses camarades, qui étaient venus par un sentier sur le flanc droit de l'aire de foot, s'y étaient baignés, alors la Libanga devait certainement virer presque à 90° en amont du pont. Je repensai au bruit de chute d'eau entendu plus tôt au carrefour, et cela me conforta dans mon idée. Je me retournai et, d'un œil panoramique, suivis le lit de la Libanga comme le traçait mon imagination depuis l'horizon lointain entre les grands arbres et les bambous jusqu'à l'aval, après le pont, où de petites vagues battaient timidement les contreforts d'un kapokier sans âge, avant de poursuivre leur route vers l'inconnu.

Le pont présentait entre ses deux culées une pile qui, débordant des deux côtés, offrait de part et d'autre une petite plate-forme qui permettait de s'asseoir. Je m'assis. Les pieds dans le vide, j'envoyai mes mains en arrière sur les planches du pont et, m'arc-boutant, je bâillai bruyamment, les yeux fermés et le visage inondé de soleil. Je me sentais déjà las, avant même d'être parti… Une moto furieuse déboula de l'autre versant et bondit sur le pont, de mon côté, ne me laissant que le temps de retirer mes mains. Pendant que mon cœur reprenait petit à petit un battement normal, je me demandai une fois de plus si mon courage, ma témérité et mes défauts suffiraient à m'emmener jusqu'au but de ce sacré voyage, et surtout ce qu'il faudrait pour me ramener. Le départ était fixé pour après-demain, dans la nuit, d'un endroit qui restait à déterminer sur le site de l'ancien village où n'allait pas tarder à me conduire Henri Nliba, le père de Mouche. Ada, Ndame et tous ces gens qui ambitionnaient de réécrire l'histoire des sciences humaines et fondamentales, se portaient garants de la fiabilité du *voyage retour*.

Depuis la dernière nuit à Yaoundé, qui me semblait déjà appartenir à une autre époque, c'était la première fois que je m'autorisais une véritable réflexion sur ma situation. Trop de choses m'étaient tombées dessus, à un rythme qui ne m'avait laissé que le temps d'encaisser et de dormir un peu. Je m'efforçais de compartimenter les événements qui s'étaient succédé depuis les révélations que Dodo m'avait faites sur son lit de mort, son décès, les confessions de Mispa qui, les premières, m'avaient permis d'entr'apercevoir le monde obscur des gens de la nuit, ma transformation en *ewusu* que seule un irrépressible désir de vengeance avait motivée, mais dont j'avais surtout pu bénéficier grâce à l'écroulement mental qui était celui de la vieille Mispa, ma rencontre pour le moins pimentée avec Ada et ce qu'il en était résulté jusqu'à l'heure où je me trouvais à Messondo. Déjà beaucoup de péripéties, dont il fallait pointer celles que j'avais causées et celles que j'avais subies. En faisant ce premier bilan je me rendis vite compte qu'une colère, même saine, donne peut-être de la légitimité d'action mais pas toujours les résultats dont on veut se faire le démiurge. Car jusqu'à présent on ne pouvait pas dire que j'avais vengé ma sœur, au contraire… Mais je refusais de perdre espoir. Je n'étais pas en position de force mais la partie se jouait encore. Surtout, je commençais enfin à me poser quelques bonnes questions : avais-je envie d'entreprendre un *voyage retour*, d'aller en 1705 à la recherche d'un improbable personnage de contes et légendes qui posséderait entre autres dons celui de la dématérialisation des objets ? Il me fallait commencer par répondre à cette question avant de m'interroger sur la manière avec laquelle j'allais m'y prendre pour convaincre ce Jam-Libe de me livrer son secret, à supposer que je parvienne à l'identifier. Et puis qu'est-ce qui s'ensuivrait si par exemple il refusait de collaborer ? Je n'en étais même plus à me demander si ces gens qui m'avaient engagé avaient véritablement les moyens de me propulser dans le passé, quelque chose dans mes sens d'*ewusu* me disait de n'en pas douter. Seulement je n'arrivais pas encore à me convaincre qu'il y avait parmi eux une seule personne capable de prédire sans spéculer sur le véritable dénouement d'une telle aventure. Beaucoup d'autres choses encore m'occupèrent l'esprit.

Des pas sur les planches du pont me tirèrent soudain de mes pensées. Quatre élèves du lycée se dirigeaient vers la gare, il y en avait d'autres qui suivaient un peu plus loin. Je regardai l'heure sur mon téléphone : 15 h 35. Le temps était passé trop vite, ou alors j'avais rêvé trop longtemps. C'était la sortie des classes, il me restait juste le temps de remonter vers le lycée si je voulais voir Mouche à l'œuvre dans une partie de foot. Je remis à plus tard la promenade au centre administratif du coin.

La partie de foot entre les deux classes de cinquième fut tellement spectaculaire que je me retrouvai à coacher les partenaires de Mouche sans plus me soucier de l'heure. Mon protégé se révéla un défenseur plus que coriace, distillant dans tous les coins des tacles par-devant et par-derrière, souvent au-delà du réglementaire. On dut le remplacer à dix minutes de la fin du match pour qu'il n'écope pas d'un deuxième carton jaune, et il termina la partie en invectivant les supporters adverses. Un score final de trois buts partout nous épargna des bagarres, et j'accompagnai tous les joueurs et les spectateurs qui allaient se baigner dans la Libanga, à l'endroit où il y avait la magnifique chute d'eau dont j'avais perçu le bruit quelque temps avant. Ce n'est que vers 17 h 30 que nous arrivâmes à la maison où Nliba le père m'attendait déjà.

Henri Nliba était un solide gaillard d'une soixantaine d'années, qui avait été commis d'agriculture et qui jouissait tant bien que mal de sa retraite. Il avait un regard franc et profond qui inspirait le respect, c'était peut-être pourquoi il était en même temps le trésorier de l'association des parents d'élèves du lycée et celui du comité de développement du village. Il portait une machette qui semblait être une excroissance de son anatomie tant il était rare de le voir sans son outil favori en main. Il passa la machette dans sa main gauche et me salua vigoureusement de la droite sans manifester la moindre émotion. Encore vêtu des haillons qui lui servaient de tenue de travail dans ses champs et qui sentaient la sueur, il but un grand gobelet d'eau, entra dans sa chambre, ressortit avec une lampe-torche, et de la tête me fit signe de le suivre derrière la cuisine. J'eus juste de temps de poser mon téléphone et mes écouteurs sur la table du salon. Nous empruntâmes une petite piste qui coupait parfois à travers les champs de manioc dans une clairière. Tous les dix pas il fallait se baisser pour passer sous une feuille de bananier, ou sauter par-dessus une souche, ou encore éviter une colonne de fourmis. Nliba marchait devant, franchissant les obstacles d'un pas rapide, coupant et écartant de temps à autre avec sa machette les tiges rebelles qui se penchaient sur notre chemin, et je le suivais en m'efforçant de me montrer à l'aise. Nous ne tardâmes pas à quitter la clairière pour nous insinuer sous les grands arbres de la forêt. L'air devint un peu plus froid et l'herbe se fit rare, laissant place à un épais tapis de feuilles mortes avec, ici et là, une termitière ou un terrier. Nliba accéléra un peu et nous arrivâmes bientôt au pied d'une imposante colline.

— Dépêchons-nous de monter, me dit-il en pointant sa machette devant lui, si nous voulons arriver avant la nuit. Le site de l'ancien village se trouve à cinq kilomètres sur l'autre flanc de la colline Ndik-ba. La migration se produisit au début du siècle dernier, vers 1908, à la faveur d'un recensement de la population organisé par les Allemands qui furent les premiers Blancs à arriver ici. Comme ils rechignaient à entrer trop profondément dans la forêt, ils eurent l'idée d'évacuer le village pour venir installer provisoirement les populations au voisinage de la voie ferrée. Seulement, après les opérations de comptage et d'enregistrement, les villageois décidèrent de rester et de s'établir près des rails. C'est ainsi qu'un nouveau village se développa petit à petit, condamnant les terres ancestrales à l'abandon. Aujourd'hui Il n'y a guère que les chasseurs qui y vont.

Nous escaladâmes la colline Ndik-ba en nous appuyant sur des arbustes. Quand nous fûmes tout en haut, le vent m'apporta une délicieuse odeur de fruit qui me fit palpiter les narines. Je levai le nez et humai l'air avec gourmandise, mais Nliba marchait d'un pas tellement rapide. C'est avec un peu de regret que je le suivis sur l'autre versant de la colline, et nous plongeâmes dans une vallée sombre au fond de laquelle nous marchâmes dans un ruisseau sur environ un kilomètre avant de retrouver la terre ferme. Nous marchâmes encore. J'étais épuisé quand nous arrivâmes sur le site de l'ancien village.

Il n'y avait plus la moindre trace de case. A première vue rien ne semblait même indiquer que ce coin de brousse ait jamais été habité. La forêt avait triomphalement repris ses droits. Seuls quelques arbres fruitiers détonnaient dans l'ensemble, ultime témoignage d'un séjour humain prolongé en ces lieux ; on voyait surtout des manguiers, des pruniers, des goyaviers, des bananiers et des papayers. Une petite plante attira particulièrement mon attention, je m'en fus la cueillir pour la sentir : c'était du persil sauvage. Pour ma grand-mère Mispa, un poisson à la sauce *mbongo* n'était pas concevable sans persil sauvage. Quand j'étais plus jeune elle m'envoyait parfois lui en cueillir derrière sa cuisine.

— Viens voir, me héla Nliba... Regarde ces endroits qui font un peu saillie et où rien ne pousse, ce sont les dernières tombes qui furent creusées ici. Celles-là ont au moins cent dix ans, les plus anciennes ont disparu. Quand quelqu'un mourait on l'enterrait devant sa case, parfois carrément dedans... Regarde là-bas, voilà ce que tu dois considérer ici comme principal point de repère...

De sa machette il décrivit un mouvement ascendant que je suivis de la tête, et je me retrouvai les yeux braqués sur la cime d'un imposant baobab auquel il ne restait plus que quelques branches mourantes. Je me rapprochai et caressai son écorce... Ce seul contact me valut une petite absence psychédélique. Rêveur, je contemplai la sciure et les minuscules débris qui m'étaient restés sur la paume des mains en pensant à tous ceux qui avaient touché cet arbre à travers les siècles.

— Ce baobab a plus de trois cents ans et il avait sans doute déjà un bon gabarit au début du XVIIIe siècle, annonça d'un ton docte mon accompagnateur en auscultant un morceau d'écorce qu'il avait détaché de l'arbre en deux coups de machette... Descendons dans cette direction, il y a une rivière qui coule là-bas à moins de trois cents mètres.

Je le suivis. Il n'y avait plus de piste, nous slalomions entre les arbres et heureusement le sous-bois était assez praticable. Après avoir contourné une vaste touffe de hauts bambous, nous vîmes une rivière de bonne largeur dont les eaux noires semblaient stagner.

– Cette rivière s'appelle la Libanga, c'est la même qui coule sous le pont vers le lycée et c'est elle aussi qu'il faut franchir à gué quand on va à la gare par la piste de brousse. Elle cerne pratiquement le village et toutes les autres petites rivières s'y jettent. J'espère que tu as bien vu la piste qui mène à cet endroit, car demain tu viendras seul tandis que moi j'irai travailler dans ma palmeraie. Aussitôt que tu auras déterminé un endroit pour ta fosse, fais-le-moi savoir. Maintenant rentrons, il commence à se faire tard.

La nuit était tombée quand nous arrivâmes au village. Mon jean, mes boots et moi-même étions dans un sale état. Mes trois compagnons de chambre s'offrirent à m'accompagner me laver dans le ruisseau du voisinage et nous descendîmes sous le crissement des grillons, escortés par quelques lucioles. Quand nous fûmes au bord de l'eau ils me racontèrent leurs vies et me posèrent des questions sur ma profession, la musique que j'aimais, si j'étais marié, de quel village j'étais, etc.

140

Je mentis et dis que j'étais géologue et que pour mon DEA je prélevais des échantillons de divers sols pour aller les analyser en laboratoire. En passant, je dus définir pour Mouche ce qu'était la géologie et expliquer aux deux autres le parcours qui conduisait du lycée au DEA. Après d'autres réponses plus ou moins vraies, je décidai de les distraire en exhibant ma tablette numérique sur laquelle je leur fis voir des vidéos des Têtes Brûlées, de M et de Jimi Hendrix. Ils furent tous les trois époustouflés par la présence scénique et le doigté de Zanzibar, le soliste du groupe Les Têtes Brûlées, et très déçus d'apprendre que ce guitariste de génie était décédé en 1989. Ils se passèrent tellement le clip en boucle que je dus leur arracher l'appareil des mains, car la nuit avançait et déjà je commençais à sentir que mon corps me démangeait...

*

* *

Nliba était bien sûr un *ewusu*. C'était quand même le moindre des préalables pour être un si bon ami de Ada. Je le trouvai campé sur sa toiture aussitôt que je mis le nez dehors. Il me conseilla, vu l'importance de ma mission, de ne pas prendre le risque de circuler dans le village même en sa compagnie. Pour me convaincre, il me confia que depuis une semaine les gens étaient agressifs parce que le chef du village et deux notables avaient vendu quinze hectares de forêt communautaire sans réunir auparavant toute la population. Il me garantit que l'acheteur, qui n'était pas du coin, avait fait une très mauvaise affaire parce que, comme il n'y avait pas eu de palabre solennelle suivie d'agapes, beaucoup trop de notables qui étaient mécontents de n'avoir rien mangé allaient s'entendre pour lui nuire. Je fus obligé de me rendre à la sagesse de Nliba car, avec ce que je savais des notables de nos villages, si je tombais sur un qui me confonde avec l'acheteur indélicat, il me faudrait un escadron de protecteurs convaincus pour espérer m'en sortir.

Mercredi matin je me réveillai après tout le monde et, voyant que la maison était déjà vide, je m'en fus chercher une machette dans la cuisine avant de reprendre la piste de la forêt. Après quelques tâtonnements au pied de la colline Ndik-ba et une fausse piste évitée de justesse au sortir du ruisseau, je parvins finalement à retrouver mon chemin et débarquai de nouveau sur le site du village abandonné. Exactement comme la veille je me sentis transporté par l'émotion à la vue des tombes qui hébergeaient sans doute encore les restes des derniers patriarches, des manguiers qui se reproduisaient sans discontinuer et dont depuis un siècle les fruits ne faisaient plus que le bonheur des singes et des chasseurs de passage, du persil sauvage qui avait miraculeusement survécu à l'indifférence de tous, du baobab plusieurs fois centenaire qui se mourait petit à petit… Je parcourus le site dans tous les sens en songeant à ce qu'une fouille archéologique pourrait mettre au jour en cet endroit. L'idée que moi, Alain Nsona, j'étais sur le point d'aller tout vérifier de visu commençait à me faire de l'effet. Ragaillardi, je notai que seules deux choses étaient visibles de partout : le baobab tout à côté et le sommet de la colline Ndik-ba au loin. Avec la rivière Libanga ça me faisait trois points de repère. De ces trois, le fleuve et le baobab s'imposaient comme les plus importants, car la colline était à l'écart et ne pouvait servir que de référence visuelle. Il était plus judicieux de choisir l'emplacement de la fosse par rapport au fleuve et au baobab. Je fis des va-et-vient entre les deux, et je découvris un endroit où le sol avait été récemment fouillé, peut-être par des phacochères. En regardant la position du baobab par rapport aux tombes, je compris que s'il fallait assimiler les tombes aux cases, alors cet arbre avait été le centre même du village. Par conséquent, si l'on creusait la fosse au voisinage du baobab, j'atterrirais en pleine cour, totalement à découvert. Voilà pourquoi je choisis de descendre le plus possible vers le fleuve, juste après la touffe des hauts bambous. De là, en tournant le dos au fleuve, j'avais le baobab au nord et la colline Ndik-ba plein est. Je coupai un bâton fourchu, l'enfonçai dans le sol à l'endroit voulu et regagnai le village avec satisfaction.

Quand Nliba revint de sa palmeraie, vers 15 heures, il me prit à part et je lui donnai les détails de mon excursion matinale. Approuvant mon choix, il me promit de s'occuper de la suite. Il me restait donc plus d'une journée à tuer en attendant l'arrivée de messieurs Ada et

Ndame. Les trois petits Nliba étaient présents à la maison, car comme tous les mercredis le lycée avait libéré les élèves à midi. J'obtins d'eux qu'on aille se promener de l'autre côté de la voie ferrée, là où se trouvait le centre administratif de Messondo. Leur mère leur enjoignit de prendre des bidons afin d'aller recueillir de l'eau potable au forage qui se trouve à côté du marché municipal.

*
* *

Le cœur de Messondo battait juste derrière sa gare ferroviaire. Une enfilade de bars bruyants, une minuscule poissonnerie et un hangar converti en restaurant constituaient l'essentiel du panorama. Un vendeur de vin de palme installé en plein air, dame-jeanne sur la cuisse, servait sa boisson à une bande de jeunes dépenaillés qui attendait le train pour aller y charger des sacs de manioc ou d'igname, les dizaines de bidons d'huile de palme et tous les régimes de plantains qui attendaient sur le quai. Ce village était un bassin agricole majeur qui ravitaillait des marchés de vivres de Douala. Des porte-tout continuaient de venir décharger des sacs sur le quai, et leurs conducteurs, une fois libérés, se précipitaient derrière la gare pour renforcer la cohorte de noceurs et de gais lurons que les retards chroniques des trains ne dérangeaient pas. Mes trois compagnons et moi commençâmes par nous diriger vers le marché municipal pour déposer nos bidons au forage d'eau potable, avant de continuer à arpenter les rues de la localité. Ils me firent visiter un misérable CET dont le vent avait emporté trois toitures sur quatre. Nous passâmes devant un bureau de poste délabré qui n'avait sans doute pas reçu une lettre depuis plus d'un septennat. Nous vîmes successivement une sous-préfecture poussiéreuse, un cercle municipal à repeindre, une aire de jeux en chantier, un hôpital acceptable et une gendarmerie tellement pimpante qu'elle en était obscène dans ce paysage de bâtiments en ruine. Les rues qui menaient à ces divers édifices publics étaient harmonieusement tracées en damier, et la plupart étaient envahies par les mauvaises herbes ou transformées en impasse par un bourbier. Malgré tout il régnait ici une atmosphère de sérénité qui incitait à l'optimisme. Nous redescendîmes vers la gare par la rue la plus excentrée qui conduisait au passage à niveau, et j'eus le loisir d'admirer des bicoques datant de la colonisation allemande. Durant tout ce périple j'avais compté six congrégations religieuses avec pignon sur rue : l'Eglise catholique romaine, l'Eglise presbytérienne, les Témoins de Jéhovah, l'Assemblée de Dieu, l'Eglise messianique et l'Eglise néo-apostolique. Mes trois amis me confièrent qu'il y avait encore une ou deux autres Eglises embryonnaires qui tentaient de se structurer sous des hangars au fond des quartiers. Je voulais bien croire qu'on ait la foi dans ce bled, mais quand on en arrive à plus d'une demi-douzaine d'églises dans un village qui n'a qu'une seule école, cela peut susciter quelques interrogations. Après une joyeuse escale chez une vendeuse de beignets et de haricots autour de laquelle des camarades de lycée des trois petits Nliba nous rejoignirent, nous revînmes au forage pour remplir nos bidons d'eau avant de prendre le chemin du retour. Par souci de diligence nous préférâmes la piste de brousse et, après avoir franchi les deux rivières à gué, nous fûmes à la maison à la tombée de la nuit.

Nliba, en bon patriarche, réunit toute sa maisonnée autour de la table pour le dîner. En les regardant tous manger en silence, je fus quelque peu gêné pour les trois garçons qui ne sauront sans doute jamais qui avait réellement été leur respectable père. A moins qu'il ne décide une nuit de transmettre le flambeau à l'un des trois.

*
* *

Jeudi matin, je me levai de bonne heure après une nuit ennuyeuse que j'avais passée par prudence à ne hanter que la maison de mon hôte. C'était le grand jour, celui de mon départ vers le passé. Je commençais à reconnaître que les discours révolutionnaires de Ada étaient parvenus à m'infuser un sentiment de responsabilité qui peu à peu était venu se superposer à la méfiance que m'inspirait ce personnage. Les visites de l'ancien site du village avaient ensuite aiguisé ma curiosité, mais je n'arrivais toujours pas à me départir de cette

146

appréhension née de la pensée de me retrouver précipité en plein XVIIIᵉ siècle. Pour me changer les idées, je proposai à Mme Nliba de l'accompagner dans son champ, et elle accepta. Elle fouilla dans le débarras de son mari et me trouva des oripeaux que je mis sans faire de manières. Puis elle m'enfila les bretelles d'une hotte, me donna une machette et m'entraîna dans la brousse. Mon premier exploit fut d'arriver au champ, le deuxième fut de ne m'effondrer qu'après avoir déterré assez de tubercules de manioc pour remplir ma hotte. Et il me restait encore à rentrer au village avec mon chargement. Aucun de tous ces citadins qui dans les restaurants regardent le manioc avec dédain ne peut imaginer ce qu'il en coûte d'en produire. C'est depuis ce jour que j'ai horreur que l'on mette à la poubelle les morceaux de manioc, de patate ou d'igname qui restent après le dîner.

Ada et Ndame avaient bien calculé leur coup. Il faisait nuit depuis longtemps quand ils arrivèrent au village. Ils n'avaient pas pris le train, pour ne pas être vus à la gare. Ils avaient abandonné leur voiture au bord de la route poussiéreuse, là où Nliba était allé les attendre, et c'est à pied qu'ils avaient parcouru le dernier kilomètre de piste herbeuse qui conduit à So-Maboye où je patientais dans un état de concentration intense. Le village était totalement endormi, à l'exception de quelques *ewusus* en mal d'aventures, mais nous ne risquions rien, d'abord parce que la présence de Nliba assurait notre protection, et ensuite parce que nous étions encore en chair et en os. Personne parmi nous ne s'étant encore dédoublé, il ne pouvait y avoir d'action contre nous que s'il nous était déjà imputé des voies de faits. Ce qui n'était pas encore le cas. L'impératif de silence qui prévalait parmi les *ewusus*, qui avait valu à Dodo son élimination, m'apparaissait désormais dans toute son importance : tous ceux qui allaient nous voir à l'œuvre étaient d'office astreints au mutisme total. Notre mission jouissait donc d'une parfaite garantie de secret, le risque que des échos parviennent à des oreilles ingénues étant nul ou presque.

C'est en file indienne que nous nous insinuâmes dans la forêt sombre, sans le moindre éclairage. Nliba ouvrait la marche et c'est Ada qui était en queue. Aucun mot n'avait encore été échangé depuis l'arrivée des deux autres. M'imaginer dans un tel attelage m'eût paru surréaliste seulement un mois plus tôt, pourtant c'était bien moi dans la forêt en compagnie de trois redoutables sorciers. Et j'étais l'un des leurs, en route pour la plus rocambolesque aventure humaine.

Nous arrivâmes sur le site de l'ancien village, accompagnés par les cris des animaux de nuit qui me donnaient franchement l'impression de nous huer, et descendîmes vers le point que j'avais choisi entre le baobab et la rivière. J'avais beau écarquiller les yeux je n'y voyais pas grand-chose dans cette obscurité, me contentant de suivre. Cependant je n'eus aucune peine à savoir qu'on était arrivés à proximité de la fosse quand mes pieds décelèrent de la terre remuée.

— Déshabillez-vous.

Quand on me vouvoyait, je savais que c'était Ndame. Me dénuder ne me prit pas une minute. Il m'ordonna ensuite de descendre dans la fosse. Je me mis à quatre pattes et c'est à tâtons que je détectai le rebord du trou. Je me demandai un instant quelle était sa profondeur, si je ne risquais pas une luxation voire pire en sautant à l'aveuglette. Je chassai vite cette préoccupation et sautai les deux pieds en avant… Chance : la fosse n'avait pas trois mètres de profondeur, je me reçus en un roulé-boulé qui me permit par la même occasion de juger de sa largeur. Une fois debout je me rendis vite compte qu'il n'était pas possible de sortir par soi-même de ce trou. Je n'eus pas le temps de stresser, la voix de Ndame me parvint cette fois de haut :

— Couchez-vous par terre dans le sens de la longueur, sur le dos, les bras le long du corps. Ensuite fermez les yeux, dormez et transformez-vous.

Je ne saurais dire le temps que je mis à trouver le sommeil, mais mes compagnons semblèrent satisfaits quand je les retrouvai en *ewusu* au bord de la fosse où ils m'attendaient. Avec toute leur expérience ils s'étaient transformés plus rapidement que moi. Ada n'arrêtait pas de remuer les doigts ; il avait visiblement du mal à contenir son excitation, lui aussi.

— Es-tu prêt à partir, Nsona ? me demanda-t-il.

— Oui.

— Alors redescends dans la fosse, Ndame et moi te suivons.

149

Cette fois-ci je voyais clairement, c'est donc en toute décontraction que je replongeai vers mon corps charnel. Mes deux précepteurs décollèrent à leur tour et me retrouvèrent au fond de la fosse, laissant Nliba jouer les vigiles en surface. Heureusement que je ne souffrais pas de claustrophobie car mon voyage eût très bien pu s'arrêter là. Quand je me fus engagé de vive voix à accepter cette mission et ses conséquences, à la remplir avec toute la force de mon esprit dans le strict respect des modalités qui m'avaient été prescrites, Ndame me tendit une tige d'herbe :

– Pour pouvoir partir vous vous servirez de cette plante, regardez-la bien : elle présente de petites feuilles et des graines. Elle a des propriétés hallucinogènes qui font le bonheur virtuel de beaucoup d'ingénus, quelques petits malheurs aussi en cas d'overdose. Quand c'est un *ewusu* qui la consomme, elle offre en plus un avantage sensationnel : l'hallucination se transforme en réalité et l'*ewusu* a alors la possibilité d'intégrer physiquement le monde nouveau qui s'ouvre devant lui, d'y vivre normalement et de poser des actes dont les conséquences peuvent être perçues par tous. Voilà comment nous avons découvert un peu par hasard la porte du passé. Mille et un tests ont permis d'établir que le nombre de feuilles ou de graines consommées détermine automatiquement l'année dans laquelle on plonge. Pour partir on se sert des feuilles tandis que pour revenir on utilise les graines. Comme vous devez vous rendre en 1705, vous consommerez 306 de ces petites feuilles vertes. Pas une de plus ou de moins. Vous était-il déjà arrivé d'en prendre auparavant ?

– Non, je ne me suis jamais drogué.

– Vous serez donc quelque peu secoué à l'arrivée, mais ça passera vite. Je vais maintenant cueillir et vous passer ce que vous mâcherez et avalerez en comptant avec moi feuille par feuille. Nous commençons…

– Attendez, attendez ! Si j'arrive en 1705 par le moyen d'une vision hallucinatoire et que par exemple je ne trouve pas votre plante-là dans le milieu où j'évoluerai, comment procéderai-je pour rentrer ?

– Puisque cette plante existe dans cette forêt, vous la trouverez là-bas. Mais nous avons évidemment prévu une bouée de sauvetage : ceci.

– Un grain de maïs ?

– Oui, en cas d'urgence ce grain de maïs sec, que vous vous mettrez rapidement sous la langue après la dernière feuille, vous ramènera à notre époque. Souvenez-vous de tout ce que je vous ai dit l'autre nuit à propos des objets. Quand vous arriverez de l'autre côté le grain de maïs sera toujours dans votre bouche, il vous appartiendra alors d'en faire bon usage. Sommes-nous d'accord ?

– Oui.

– Alors on y va : une, deux, trois…

3

La chasse miraculeuse

Je sentis une douleur aiguë aux oreilles qui me fit porter les mains à ma tête, me recroqueviller et fermer les yeux. Ma grimace se prolongea pendant une, deux minutes ou peut-être davantage. Puis la douleur commença à s'estomper et je me détendis. Juste au moment où mes bras retombaient sur le sol, des gouttes d'eau frappèrent mes paupières que je fus obligé d'ouvrir. Il pleuvait. Je me relevai. Ma première idée fut que je risquais d'attraper un rhume, et je me frottai les mains sur le torse : j'étais toujours nu comme un nouveau-né. Je regardai autour de moi, il faisait un noir d'encre et je ne parvenais même pas à voir mes pieds. Malgré cela je ne tardai pas à me rendre compte que j'étais seul et que, surtout, il n'y avait plus de fosse ! C'est à ce moment que mes esprits me revinrent. Se pouvait-il que le *voyage retour* se soit enclenché, que la phase « aller » se soit déroulée avec succès et que je sois déjà arrivé à destination de 1705… En attendant d'y voir plus clair, rien que l'absence de la fosse était déjà un indice. En un mouvement de langue je vérifiai que j'avais toujours le grain de maïs dans la bouche.

En tout cas comme débarquement on aurait pu rêver mieux. Une pluie récalcitrante semblait bien décidée à noyer pour de bon cette partie oubliée du monde dans laquelle je venais d'échouer. J'étais mal, mais je n'osai bouger d'un pas avant d'avoir posé un jalon sur le point précis où je me trouvais. Je me penchai et tâtai le sol : rien que des herbes. En désespoir de cause, je décidai de désherber mon point de chute. Quand j'estimai l'endroit suffisamment marqué, je fis quelques pas tout autour. A travers la pluie je pus percevoir un certain bruit d'écoulement qui m'apaisa. Je pivotai et commençai à avancer en ligne droite, et plus j'avançais dans cette direction plus insistant se faisait le bruit. Je rencontrai des eaux de ruissellement qui me perturbèrent un peu, me poussant à me concentrer davantage. Un fourré me barra bientôt la route et je ne voulus pas risquer de me désorienter en le contournant. L'endroit était peut-être lugubre et je commençais à avoir vraiment froid, mais une chose établie venait désormais me remonter le moral : la Libanga coulait bien dans cette obscurité en face de moi, à quelques mètres seulement.

Trop de choses me passaient en même temps par la tête, qui venaient se mélanger à la hantise que j'éprouvais d'être débusqué en tenue d'Adam dans ce lieu dont je ne savais plus grand-chose. La pression était trop forte, si je ne parvenais pas à me calmer j'étais perdu. Même la pluie n'arrivait pas à me débarrasser des bouffées de chaleur qui me donnaient l'impression de rejeter de la fumée par les oreilles. Je décidai donc de m'asseoir et de m'imposer un vide cérébral d'au moins dix minutes. Je n'y parvins pas tout à fait, mais je réussis à me concentrer assez pour n'examiner qu'un ennui à la fois. Il m'apparut vite que je n'avais pour l'instant qu'une seule priorité : me vêtir. Aucun de mes autres nombreux problèmes ne pouvait trouver de solution tant que je ne disposerais pas du moyen de me présenter convenablement devant les gens d'ici, s'il y en avait. Or pour prétendre au moindre habit il fallait d'abord avoir une idée précise du style vestimentaire local, ce qui m'obligeait à attendre le lever du jour pour me rapprocher en tapinois du village. En attendant il fallait trouver un abri.

Depuis bientôt un quart d'heure que j'étais là, les difficultés que j'avais rencontrées et les douleurs que j'avais subies avaient fini de me convaincre que je me présentais sous une forme normale. Je ne sais pas comment cela s'était fait mais en atterrissant dans ce nouveau monde je m'étais automatiquement reconstitué une enveloppe charnelle. Un peu comme quand j'avais vu Ada sortir réincarné de l'immeuble Shell pour aller s'encanailler dans une boîte de nuit. J'étais là en chair et en os, donc limité et vulnérable. Je le vérifiai très rapidement en tentant des bonds qui furent tous d'une médiocrité absolument humaine. Je me sentis encore plus nu et cela m'alarma. Me dépêchant de m'allonger quelque

155

part par terre, je fis abstraction de la pluie et appelai le sommeil de toutes mes forces. Le résultat ne tarda pas. Jamais je ne fus plus heureux de me retrouver sur un arbre. L'essentiel était sauf, j'étais toujours un *ewusu*. Mes capacités m'avaient accompagné et je sentais déjà qu'elles allaient m'être d'une précieuse utilité.

Seulement, elles pouvaient tout aussi bien me coûter très cher, et cela dès la première nuit. Parce que si un *ewusu* autochtone me détectait là où je me trouvais, ma mission était terminée. Nul n'allait pouvoir me protéger car je n'étais encore connu de personne. Je me souvins de tout ce qu'on m'avait dit sur les règles de territorialité, je songeai à tout ce que j'avais déjà vécu moi-même. Avec le profil que je présentais, une bastonnade de bienvenue pouvait très vite dégénérer en lynchage. Après mûre réflexion je me rendis compte que pour l'heure c'était encore sous la forme humaine que je courais le moins de dangers. Il valait mieux affronter la pluie. Je commençai par trouver une cachette pour mon grain de maïs en hauteur, dans le creux de l'arbre, et ne perdis pas une seconde pour descendre réintégrer mon corps. La nuit se poursuivit.

Quand j'ouvris l'œil, après un long bâillement, il faisait jour et il pleuvait toujours. Je me relevai promptement en apercevant au loin la crête d'une montagne qui se dessinait, avec un ciel pâle en arrière-plan. Je regardai instinctivement en direction du fourré qui m'avait bloqué dans la nuit… Elle était bien là, à environ cent mètres, majestueuse et quelque peu tumultueuse : la

156

rivière Libanga. Je courus me placer à l'endroit que j'avais désherbé, mon point de chute. Dos tourné à la rivière, j'avais bien la crête de montagne à l'est. Les arbres étant beaucoup plus nombreux, touffus et élevés à la base et sur le versant, ce sommet me semblait moins haut mais j'étais certain que c'était la bonne colline. Alors, je levai les yeux en face de moi. Pas un arbre ne se démarqua vraiment comme dans mon souvenir, peut-être parce qu'il y en avait beaucoup plus. Je me dis qu'il fallait quand même monter dans cette direction. Si j'étais bien à la bonne époque, il se pouvait que le baobab ne soit pas encore né, mais le village devait être là. Comme autour de moi il n'y avait aucune piste, j'eus l'idée d'aller prospecter sur les berges de la rivière.

La Libanga présentait des eaux plus troubles. J'en compris vite la raison : la pluie avait déclenché une crue et les eaux montaient presque à vue d'œil. Je plongeai mes pieds endoloris dans l'onde froide. Un, puis deux clapotis me firent sursauter : de gros poissons venaient déguster les menues choses que le vent décrochait des arbres et précipitait à la surface de l'eau. Une branche d'arbre passa et fut emportée par le courant. Je décidai de descendre vers l'aval. Après quelques dizaines de mètres de quête infructueuse, je revins sur mes pas pour longer la rivière vers l'amont. C'est ainsi que je finis par trouver ce que je cherchais : la piste qui mène aux cases du village. Elle montait, droite, entre deux rangées de bambous qui formaient une haute voûte que ne pouvaient pénétrer les rayons du soleil. Même la pluie n'y pénétrait pas car les gouttes, recueillies au faîte par les feuilles, dégoulinaient le long des hautes tiges jusqu'au sol. Je me précipitai sous cet abri providentiel et ne tardai pas à me trouver une cachette entre mille pieds de bambous, d'où il me fallut d'abord déloger un varan. En attendant une accalmie, je finis par m'assoupir en tremblotant.

Des voix me réveillèrent. Il ne pleuvait plus et là-bas, hors de mon refuge, le soleil se montrait. Je m'accroupis derrière un paravent de bambous encore humides et guettai : trois femmes descendaient la piste en direction de la rivière. J'eus d'abord un instinctif mouvement de recul, car elles avaient les seins nus qui pointaient fièrement comme des papayes. Je regardai encore. C'étaient des jeunes femmes difficilement classables entre dix-sept et trente ans. Elles marchaient lascivement en file indienne, pieds nus, avec chacune un récipient en équilibre sur la tête et un plus petit sous l'aisselle. Elles étaient uniquement vêtues d'une matière marron clair, grossièrement taillée en jupe, qui allait du bassin aux genoux. Je commençai à les suivre du regard et concentrai mon attention sur leur vêtement comme elles vinrent à passer juste devant moi, bavardant comme des pies et lançant des rires sonores. Cette matière-là pouvait très bien provenir de l'écorce ou même du tronc d'un arbre finement taillé et travaillé. Les trois femmes virèrent à droite derrière un arbre et disparurent. Je me regardai : dans l'état où j'étais, il n'était pas décent de me présenter à de telles jeunes femmes. Il fallait trouver de quoi couvrir mes attributs virils, qui risquaient d'être fortement éprouvés si toutes les femmes se baladaient à moitié nues dans ce village. Je jugeai sage de ne pas bouger de ma cachette avant que ces trois-là, qui allaient certainement puiser de l'eau, ne remontent. En effet, elles ne se firent pas attendre et repassèrent devant moi en balançant des croupes avantageuses. Comme elles ne cessaient de bavarder, je fus heureux de vérifier que la langue *bassa* qu'elles parlaient et celle que j'avais toujours pratiquée étaient semblables. Si je m'exprimais simplement, j'avais toutes mes chances dans les dialogues avec mes futurs interlocuteurs. Mais il allait me falloir beaucoup de contrôle pour ne pas mêler des mots français à ma langue maternelle, comme nous le faisons d'habitude à longueur de conversations familiales dans notre siècle à nous.

Je sortis de ma cachette et, en marchant dans la brousse, commençai à suivre la piste en progressant vers le village. Des appels, des bruits de basse-cour et d'autres traits sonores de la vie quotidienne commencèrent à me parvenir, accroissant régulièrement mon rythme cardiaque. Arrivé à un niveau, avant même d'avoir vu la moindre case, je fus presque terrassé par l'émotion et je dus m'adosser à un bananier pour me reprendre. Je distinguais désormais tous les sons avec clarté. Là, il y avait les voix de plusieurs hommes qui parlaient d'aller couper du raphia dans un marécage ; là-bas sur la gauche c'était un bébé qui pleurait ; de l'autre côté on venait de projeter une charge par terre...

Il y avait de la vie à cet endroit de la forêt. Le village était bien là, habité. La conclusion s'imposait donc d'elle-même, définitive et implacable : *je n'étais plus dans le présent.*

Je rassemblai tout mon courage pour avancer encore, partagé entre les pensées de deux mondes. Ada, Ndame et leurs onze autres compagnons de recherche avaient raison : il était possible de remonter le temps, de revisiter l'histoire. J'en avais la preuve à quelques dizaines de mètres devant moi, aussitôt que j'atteindrai ces buissons-là le village allait s'offrir à mon regard. Encore quelques mètres et j'allais pouvoir voir… Je m'arrêtai net. Il y avait là-bas un arbre différent des autres, il accaparait toute mon attention. Je scrutai ses branches parcourues de lianes pendantes, ses petites feuilles abondantes et l'espèce de duvet qu'il semblait sécréter par endroits. C'était un baobab. Celui-ci était jeune et beaucoup moins grand, pourtant je sus que c'était le même. C'était le baobab que j'avais vu sur le site du village abandonné, mourant, perdant une à une ses branches dégarnies. Si je n'avais pu le voir depuis mon point de chute situé plus bas, c'était parce qu'il n'était encore qu'un arbre moyen. Il lui fallait d'autres longues décennies pour atteindre le gabarit qui m'avait impressionné pendant mes repérages. C'est en réfléchissant à tout cela que j'atteignis les buissons et vis un peu en contrebas la grande cour et les premières cases du village.

J'y étais !

Mes yeux n'arrivaient plus à se fixer, ils passaient en désordre de ces hommes assis là-bas en demi-cercle sous le baobab aux quelques cases que mon petit champ visuel me permettait de voir. J'avais l'impression d'être devant une peinture rupestre, sauf que là les personnages gesticulaient. Certains se levaient, parlaient un moment puis se rasseyaient. D'autres arrivaient du côté que je ne voyais pas bien et prenaient place auprès des premiers. Ils étaient tous habillés d'un cache-sexe. Tous avaient quelque chose qui ressemblait à une machette, qu'ils tenaient en main quand ils étaient debout et qu'ils posaient entre leurs pieds lorsqu'ils s'asseyaient. Ils parlaient bruyamment, en se tapant parfois la main sur le torse. Je les observai longuement. Ils n'avaient l'air ni méchants ni belliqueux, peut-être parce qu'ils étaient entre eux. De temps en temps une femme sortait d'une case et entrait dans une autre ; il y en avait quelques-unes qui portaient un morceau de leur étoffe locale sur les seins.

Non loin de ma cachette j'avisai une touffe de bananiers qui présentait beaucoup de larges feuilles à moitié sèches. Je rampai jusque-là, recueillis des morceaux de limbe et avec beaucoup d'application je me confectionnai un cache-sexe assez convenable, que je me nouais à la taille à l'aide d'un pétiole divisé en deux dans le sens de la longueur. Puis de bosquets en buissons je contournai toute la partie gauche du village et trouvai une piste qui venait de je ne sais où, qui donnait tout droit sur la grande cour. Ayant recommandé mon âme au Seigneur, je m'engageai d'un pas alerte. Lorsque j'apparus dans la cour tous ces gens qui palabraient sous le baobab, et qui en fait jouissaient de leur tournée matinale de vin de palme, firent silence et se retournèrent comme un seul homme vers moi. La partie venait de commencer.

Gardant la tête haute et un air sérieux, je marchai vers eux.

– Je vous salue tous, dis-je d'une voix enrouée. Mon nom c'est Nsona Mahop Ma Boum Kel Hiol Hiol Badjeck, mais on m'appelle simplement Nsona. Je suis du clan Longasse, fils de Mahop. Ma mère s'appelait Ngo Heles. Je marche depuis cinq jours à la recherche du village de mes oncles maternels pour y trouver refuge et protection.

Ils se regardèrent les uns les autres comme s'ils avaient été injustement accusés. Celui qui tenait la calebasse de vin de palme sur sa cuisse la déposa par terre, au grand mécontentement de ses deux plus proches voisins. C'était une grosse calebasse à col effilé. Je mourais d'envie de les dévisager mais, comme il fallait faire bonne impression pour un premier contact, je gardai les yeux rivés sur mes orteils.

– Nsona ! m'interpella un homme malingre d'âge mûr qui n'avait pas dû se laver les pieds depuis le néolithique. Tu dois être fatigué, viens donc t'asseoir… Poussez-vous, vous deux.

Je me retrouvai assis sur une longue pièce de bois, entre deux hommes massifs comme des gorilles. Tous me dévisageaient et je continuais à faire profil bas. Sur un simple signe de celui qui m'avait parlé, on me versa du vin de palme dans un gobelet en bambou. Une abeille morte flottait dans le pétillant liquide, d'un souffle je la repoussai et vidai le gobelet. Ce vin était un peu dur mais c'était presque le même que l'on buvait dans mon village.

— Donnez-lui un deuxième gobelet, dit le malingre en agitant son chasse-mouche vers moi.

Puis il leva la tête et cria : « Ngo Matip ! » Une voix lui répondit en écho derrière une case et bientôt une plantureuse femme arriva. Elle était à moitié nue, avait les cheveux épars et les mains mouillées.

— Va regarder dans tes marmites, s'il reste quelque chose tu te dépêches d'apporter à manger ici, lui dit le malingre.

Ngo Matip ne mit pas plus de cinq minutes et revint poser devant moi deux écuelles contenant de la nourriture pour au moins cinq personnes. Il y avait d'un côté des morceaux de gibier baignant dans une sauce noirâtre qui ne pouvait être que du *mbongo*, et de l'autre des morceaux de manioc grillés. Mon interlocuteur fut le premier à s'emparer d'un bout de manioc qu'il plongea dans la sauce, le mordit et commença à le mâcher bruyamment. Je l'imitai. C'était délicieux. Je n'avais pas fini mon deuxième morceau de manioc qu'il me demanda à brûle-pourpoint :

— D'où disais-tu venir, déjà ?

— Je suis un Longasse, répondis-je en mâchant une chair qui avait un goût de porc-épic.

— Ah, mais c'est très loin ça ! dit-il en partageant une grimace avec les autres.

S'ensuivit une petite palabre géographique que j'écoutai avec intérêt, qui me permit de vérifier que mon village natal avait lui aussi une place dans l'histoire. Le malingre, qui avait de l'autorité, imposa le silence et se retourna vers moi :

— Et tu as pu marcher jusqu'ici ? me demanda-t-il.

— Oui, répondis-je.

— Ça n'a pas dû être facile, avec toutes ces forêts à traverser et ces fleuves qui sont en crue…

— J'en ai même perdu mon cache-sexe, déclarai-je en jetant un os. Si par chance je n'avais trouvé un bananier, je serais encore nu en ce moment.

Chacun secoua la tête en signe de commisération. Entre-temps le vin avait recommencé à circuler, détendant sensiblement l'ambiance. Le serveur, la calebasse posée sur la cuisse, versait du vin de palme dans le gobelet. Comme chacun semblait bien connaître son tour, le gobelet ne traînait jamais dès qu'il était rempli. Surtout qu'il n'y en avait qu'un seul et c'était le même qui passait de main en main.

— Ta mère Ngo Heles, peux-tu nous dire de quel village elle est issue ? me questionna le malingre.

— Tout ce que je sais c'est qu'elle était du clan Bikok, répondis-je.

164

— C'est tellement vaste, le clan Bikok, avec plusieurs villages : il y a ceux de Mboui qui sont imbattables à la pêche aux crabes, il y a ceux de Nkonga qui ont sept albinos dans leur village, il y en a plein d'autres encore.

— Ici ce n'est pas un village Bikok ?

— Heureusement, non. Ces gens-là doivent sans doute avoir écopé d'un mauvais sort, pour qu'on compte jusqu'à sept albinos dans leur village. Ici nous sommes à So-Maboye.

— Je me suis donc perdu !

— Pas tout à fait, puisque tu es chez nous.

Il fit une pause, parce que c'était à lui de boire. Après avoir émis un rot sonore, il continua :

— Et qu'as-tu donc fait dans ton village pour être obligé d'entreprendre un si long et hasardeux déplacement afin de chercher protection ?

— Moi, je n'ai rien fait. Et je ne serais pas parti si j'avais eu d'autre choix. Mon père et ma mère moururent l'un après l'autre quand je n'étais qu'un enfant, et c'est ma grand-mère paternelle qui m'éleva. Elle se débrouilla pour que je ne manque de rien et tant que mon bonheur dépendit d'elle, tout alla bien. Mes problèmes commencèrent quand j'eus l'âge de subir l'initiation traditionnelle. Aucun homme de mon village n'accepta de me prendre sous son aile. Ma grand-mère plaida auprès des notables, palabra à tous les niveaux, toutes ses médiations restèrent vaines. Et en plus personne ne voulait m'expliquer pourquoi je me retrouvais ainsi écarté. Tous les garçons de mon âge sont aujourd'hui de vrais hommes, ils ont le droit d'avoir des cases à eux, de prendre des épouses et de créer leur domaine. Tandis que moi j'attends toujours. C'est dernièrement que ma grand-mère m'a conseillé d'aller dans le village de ma mère. Elle m'a assuré que j'y serais bien accueilli et qu'on s'occuperait sans conditions de m'initier aux choses des hommes. Elle m'a motivé à partir. J'ai pensé que l'idée était bonne, car une fois initié et devenu un homme je pourrais rentrer dans mon village et reprendre la place qui me revient. Voilà pour-quoi je me suis lancé.

– Hum, hum, ton histoire-là ressemble à l'histoire d'un enfant qui paye pour les crimes de son père. Mais c'est quand même étrange : tu dis n'avoir pas été initié, pourtant tu m'as l'air plutôt capable. Hein, qu'en pensez-vous, vous autres ? demanda-t-il à la cantonade, ce qui me frappa de stupéfaction.

Un tohu-bohu se déclencha immédiatement et ils se levèrent tous, sauf le serveur de vin de palme. Certains soutinrent que le clan d'où je venais fourmillait de criminels, d'autres ajoutèrent que le clan de ma mère ne valait pas mieux. Fort heureusement il s'en trouva beau-coup d'autres qui prirent ma défense. Pendant qu'ils jactaient j'eus enfin le loisir de les détailler. Ils étaient douze. C'étaient tous des hommes d'un certain âge, les plus jeunes avaient la quarantaine et il y en avait au moins deux qui pouvaient avoir plus de soixante ans. Ils avaient presque tous des cheveux touffus et crépus assortis à des barbes plus ou moins hirsutes. Chacun

166

portait un cache-sexe fait d'une bande de la même étoffe de bois qui, partant de l'aine au coccyx en passant par l'entrejambe, était retenue par une ceinture de liane. Les pieds nus aux ongles parfois recourbés et aux talons striés étaient couverts de boue, à cause peut-être de la dernière pluie. En dehors du malingre avec qui je dialoguais et qui me semblait le plus âgé du groupe, les autres étaient bien bâtis et d'ailleurs les cache-sexe rebondis en disaient long sur les capacités physiologiques des uns et des autres. Tous respiraient une santé qui se manifestait dans les rires retentissants et les jurons tonitruants. Il y avait des teints marron clair, marron sombre, d'autres encore plus sombres, dans l'ensemble je me reconnaissais bien dans ces gens. On en trouvait encore de semblables dans le monde que je venais de quitter, à quelques oripeaux près. Le malingre ramena le calme en agitant son chasse-mouche et se retourna vers moi :

– On fera courir le bruit de ton histoire dans tous les sens, quelques échos finiront par arriver dans le clan Bikok et peut-être il y aura une réaction. Et puis aujourd'hui même tu pourras aller parler avec la veuve Ngo Bamsek, c'est une Bikok issue du village des pêcheurs de crabes. On ne sait jamais, elle pourrait avoir connu ta mère.

– On ne sait jamais, répétai-je avec un air de sincérité inattaquable.

– En attendant tu peux rester ici avec nous, sauf si tu préfères continuer à vadrouiller dans la forêt à la recherche de tes oncles maternels.

– Je pense que je vais accepter votre hospitalité, en attendant.

– Bon, moi je m'appelle Ngué et je suis le doyen de ce grand village, dit-il avec majesté. De la Libanga jusqu'à la colline Ndik-ba il n'y a personne de plus âgé que moi, ajouta-t-il en se tapant la poitrine. Tous ces gens que tu vois réunis ici sont des notables importants : celui-ci c'est Njab, le suivant c'est Ngom, là c'est Nliba, l'autre c'est…

Tandis qu'il poursuivait sa ronde de présentations je fixai un peu plus celui qui s'appelait Nliba. C'était assez impressionnant de songer que ce Nliba-ci était certainement l'ancêtre de l'autre Nliba que j'avais laissé au bord de la fosse et qui veillait sur mon corps inerte en compagnie de Ada et Ndame. Je me mis à examiner son visage, à la recherche de quelques traits de ressemblance avec son lointain descendant. Il faut reconnaître que dans l'état d'exaltation qui était le mien j'étais un peu porté sur les conclusions hâtives, mais c'était quand même encourageant d'entrevoir des passerelles solides entre les deux mondes. Tous les espoirs étaient désormais permis. Malheureusement, le doyen Ngué cita les noms de tous les notables présents et je n'entendis pas celui de Jam-Libe.

– Comme les jeunes gens et la plupart des femmes de ce village vaquent actuellement à leurs différentes occupations, tu seras présenté à tout le monde pendant la palabre du soir, continua-t-il. Et tu feras aussi la connaissance de Tikyo, cet autre jeune homme que nous avons recueilli dans la forêt il n'y a pas longtemps.

Il fit une petite pause parce qu'une mouche aux ailes colorées venait de se poser sur son biceps. En quelques secondes je vis l'abdomen de l'insecte se remplir de sang, le temps qu'un notable se lève et lui assène un coup de chasse-mouche.

— Toi, Ngambi, poursuivit le doyen en désignant un quinquagénaire à la calvitie luisante et aux pieds arqués, prends-le dans ta case. Comme tu es le seul qui n'a pas de femme, vous devriez pouvoir cohabiter. Et puis fabrique-lui un vêtement normal, parce que les gens ne doivent pas être habillés n'importe comment dans ce village.

Je me retournai vers celui dont j'étais déjà le filleul. Il était très présentable, selon les canons de l'époque, même s'il semblait avoir pris son dernier bain en marchant sous la première pluie de la saison. Il avait une importante balafre qui partait de la tempe vers la joue. Je me surpris à penser que si quelqu'un pouvait avoir survécu à une telle blessure dans ce village, alors on devait y disposer d'un antiseptique sous une forme ou sous une autre.

— Tu ne manges plus ? me demanda le doyen.

— Je crois que je suis rassasié, répondis-je en me caressant le ventre.

— Ngo Matip ! cria-t-il. Apporte de l'eau à boire.

La même femme revint et me tendit des deux mains un bol plein d'eau. Elle avait cette fois les mains badigeonnées de poudre blanche jusqu'aux coudes. L'eau était fraîche et je me désaltérai. Au même moment le serveur de vin de palme se versa le dernier gobelet plein de lie, puis coucha la calebasse vide par terre.

– Maintenant que le vin est fini, nous pouvons partir dans le marécage. Toi, Nsona, tu nous accompagnes parce que tu ne peux pas rester tout seul ici, décida le doyen. Nous devons aller abattre un raphia et recueillir ses feuilles, qui serviront à habiller le toit des deux cases de Makon. Il faut qu'on se dépêche car ces cases doivent être prêtes avant qu'on aille chercher dans deux jours celle qui sera son épouse.

Comme j'avais laissé la moitié de la nourriture dans les écuelles, trois notables s'en emparèrent et les nettoyèrent avant de nous rejoindre sur la piste, et c'est à la queue leu leu que nous commençâmes à progresser à l'intérieur du village, qui s'étirait le long de la mince piste et consistait en groupes de cases séparés par un bosquet. Chaque groupe de cases correspondait à une famille. Toutes ces cases, dimensions mises à part, étaient bâties sur le même modèle : un rectangle de murs en terre battue surmonté d'un toit en nattes de raphia. Il n'y avait rien de superflu dans l'architecture des cases, à tel point que les quelques fenêtres visibles ici ou là faisaient figure de fantaisie. La structure des murs laissait voir des bambous taillés en longues lamelles et attachés horizontalement à des poteaux rapprochés. Parfois, devant la grande case d'un groupe, on voyait une vieille femme assise sur une pièce de bois, avec autour d'elle des bambins nus et sales. De chaleureuses salutations fusaient chaque fois qu'on traversait des cases, et si l'on rencontrait quelqu'un sur la piste c'étaient des embrassades à n'en plus finir. Quand cela se fut produit deux fois, je constatai à quel point je m'étais fondu dans le groupe. C'est à peine si j'étais différent des autres et même mes pieds n'étaient déjà plus les moins sales. Certes, avec ma tête rasée je pouvais peut-être étonner mais personne ne m'en avait encore fait grief.

Six groupes de cases plus loin, ceux qui marchaient en tête abandonnèrent la piste et obliquèrent sur la gauche pour pénétrer dans la forêt. Mon hôte Ngambi, qui marchait juste devant moi et qui n'avait pas fermé sa bouche une seconde depuis le baobab, me retint un instant pour me signaler que nous n'étions pas arrivés au bout du village. Il me révéla qu'il y avait encore d'autres familles installées un peu plus loin le long de la piste principale, et que d'ailleurs sa case se trouvait de ce côté-là. Je fus édifié de constater que les cases n'étaient pas toutes disposées autour du baobab, comme je l'avais cru.

*

* *

C'est chargés chacun d'une grande botte de feuilles de raphia que nous sortîmes de la forêt et regagnâmes la piste principale du village. Je soupçonnais qu'il était entre quinze et dix-sept heures. C'était comme si le village s'était transformé. Il y avait maintenant bien plus de monde autour des cases, surtout un surplus de jeunes gens. Il y avait des adolescentes qui jouaient aux claquettes, partout on voyait des jeunes femmes qui s'activaient devant les cuisines, d'autres assises par terre qui se faisaient natter les cheveux… Ces femmes à moitié nues étaient peut-être inconscientes de la sensualité qu'elles dégageaient. Les notables avec lesquels je marchais ne semblaient en rien émus par cet assaut de volupté, ni les nombreux jeunes hommes respectueux que nous croisions. Quant à moi j'avais de la peine à rester impassible, et les regards empreints de curiosité qu'elles me lançaient ne contribuaient pas à m'apaiser. C'est dans cet état que je traversai le village à la suite des autres pour aller déposer ma botte de raphia devant les deux cases du futur marié, qui étaient encore en chantier. Je restai là à observer comment travaillaient les hommes qui élevaient les murs des cases en nouant les lamelles de bambou sur les poteaux, à l'aide de lianes. Puis je regardai comment s'y prenaient ceux qui fabriquaient les nattes de raphia destinées aux toitures.

*
* *

Si le baobab n'était pas le centre géographique du village, en revanche il en était le centre social et politique, avec la palabre du soir en guise d'institution majeure. Ce soir-là elle commença peu avant la tombée

172

de la nuit. Les notables, installés avant tout le monde, commencèrent par une tournée de vin de palme tandis que les femmes du village venaient déposer à leurs pieds des écuelles de nourriture. Quand toutes les cuisines eurent livré leurs plats, le doyen Ngué se leva, enveloppa l'assistance d'un regard inquisiteur qui ramena le silence, puis dit d'un ton solennel :

– Comme vous le savez tous, un village où les gens ne se réunissent pas de temps en temps pour partager un repas est voué à la disparition. Heureusement nous avons toujours à manger, nous savons nous réunir et nous aimons manger. D'ailleurs nos ancêtres qui sont sur les arbres, qui nous regardent en ce moment et nous protègent, veilleront toujours à ce qu'il y ait du gibier dans nos pièges. Qu'ils soient remerciés. Mes frères, comme les femmes nous ont apprêté ce repas, faisons en sorte qu'un morceau de manioc ne reste pas posé sur l'autre, conclut-il en pointant son chasse-mouche vers les écuelles.

Les hommes présents, jeunes et moins jeunes, se jetèrent sur la nourriture sans se préoccuper des femmes qui mangeaient sans doute de leur côté, retirées dans leurs cuisines. Pendant un moment on n'entendit que des bruits de succion et parfois un grognement. Une fois les écuelles vidées on alluma trois grands feux dans la cour et les femmes purent enfin venir s'installer. Dans une main elles tenaient un escabeau de rotin ou de bambou, dans l'autre un petit panier plein d'arachides ou de pistaches qu'elles décortiquaient une fois assises.

Quelques vieilles femmes édentées à la peau fripée semblaient tenir en respect de délicieuses jeunes femmes dont l'une donnait le sein à son bébé. Je remarquai des jeunes hommes d'à peu près mon âge qui avaient la boule à zéro. Avec le cache-sexe réglementaire que m'avait fabriqué Ngambi, je ne voyais plus du tout la différence entre eux et moi. C'est donc en toute confiance que je vis le doyen Ngué agiter son chasse-mouche dans ma direction. Je me levai et avançai, poursuivi par tous les regards de l'assistance. Cela ne m'impressionnait plus, car presque tout le village était fixé sur mon compte à travers quelques inévitables cancans. Ma présentation n'en fut pas moins solennelle et je me fis beaucoup de partisanes, qui abreuvèrent le clan Longasse d'insultes pour n'avoir pas permis à un pauvre orphelin de devenir un homme complet. La veuve Ngo Bamsek, chez laquelle mon hôte m'avait déjà conduit parce qu'elle était du clan Bikok comme ma mère imaginaire, répéta publiquement ce qu'elle m'avait dit en petit comité : elle n'avait jamais entendu parler de ma génitrice. Le doyen engagea les gens à se montrer patients et cléments à mon égard puisque malgré mon âge je n'étais pas encore initié. Puis il me montra un jeune homme nommé Tikyo, que des chasseurs avaient trouvé errant dans la forêt et qui vivait au village depuis peu. Tous les notables me recommandèrent de prendre exemple sur Tikyo. Je promis de faire de mon mieux et la palabre se poursuivit ; elle portait sur la constitution de la délégation qui devait se rendre dans un village

174

voisin pour la palabre de mariage dont l'issue devait permettre de ramener la future épouse de Makon. Mon hôte se proposa comme porte-parole de cette délégation. Mais il fut mis en minorité et l'assistance lui conseilla de commencer par se marier lui-même avant de prendre la parole en public sur des questions de mariage. Pendant qu'on commençait le recensement des animaux domestiques destinés à la belle-famille, un sémillant jeune homme se dégagea d'un groupe et vint me tendre la main avec civilité. Il me pria de le suivre un peu à l'écart et j'accédai volontiers à sa demande. Quand nous traversâmes les derniers cercles de femmes et atteignîmes les petits enfants qui couraient après les lucioles, il me dit :

– Mon frère, je n'ai pas grand-chose à te dire. Je tenais seulement à te souhaiter personnellement la bienvenue.

– J'en suis très touché, lui répondis-je.

– D'habitude je n'aime pas les gens et les choses qui sortent de nulle part, mais toi tu m'as l'air sympathique.

– Merci.

– Aujourd'hui même j'ai attrapé une grosse vipère dans la forêt. Je t'aurais bien invité à en manger un morceau parmi ceux que m'ont laissés les notables, mais comme tu n'es pas encore initié tu n'as pas le droit de manger la vipère.

– C'est pas grave.

– Quand j'attraperai une antilope c'est toi qui prendras les gigots, si tu es encore-là.

– J'en serai ravi.

– En attendant, tu pourras toujours m'accompagner tendre des pièges. Ce sera ma manière à moi de t'initier à quelque chose. Tu sais, je suis le meilleur tendeur de pièges des environs. Es-tu déjà allé à la chasse au rat palmiste ?

– A vrai dire, non.

– Pas possible ! Mais où as-tu été élevé ! Ça ne fait rien, tu apprendras vite. Demain je viendrai te prendre et nous irons faire une petite partie dans les champs avec quelques frères... On m'a dit que tu habites chez Ngambi, c'est vrai ça ?

– Oui.

– Qui a donc eu l'idée de te mettre chez un céliba-taire, un homme chez qui il n'y a jamais de fumée ! Il mange des bananes et des papayes à longueur de journée, en attendant le soir pour venir se délecter de ce que les femmes des autres ont préparé. Demain, je poserai ce problème aux notables. Je pense qu'on devrait lui mettre de force une femme dans sa maison... Bon, je m'en vais. Je n'aime pas trop m'attarder le soir quand j'ai du travail pour le lendemain. Retrou-vons-nous ici demain matin pour aller ensemble nous amuser dans les champs avant de partir dans la forêt.

– D'accord.

– Au fait, est-ce que je t'ai dit mon nom ?

– Je crois que non.

– Pardonne-moi. Je m'appelle Jam-Libe, dit-il en me tendant une main rugueuse.

Mon cœur fit un grand bond dans ma poitrine. Jam-Libe me secoua énergiquement la main et s'en fut. Je le suivis longuement du regard en me demandant s'il s'était rendu compte de mon trouble. Fort heureusement la luminosité n'était pas grande, malgré les feux que des femmes nourrissaient de temps en temps de grosses bûches.

Il faisait maintenant nuit noire. Tous les problèmes du jour avaient été traités et beaucoup de gens allaient se coucher. Seuls restaient ceux qui voulaient prolonger la veillée, comme cette grand-mère qui disait des contes à un groupe d'enfants serrés les uns contre les autres à côté d'un feu. Je venais de vivre la journée la plus folle de toute mon existence, mais maintenant je devais aller dormir. Je me rapprochai de mon hôte pour plaider la fatigue, il se montra très compréhensif et me raccompagna.

J'étais tellement éprouvé qu'une fois allongé sur mon lit de bambou, je basculai dans le sommeil et me transformai presque immédiatement en *ewusu*. La journée avait été plus que satisfaisante. J'avais atterri à bon port et la population de ce So-Maboye d'outre-tombe m'avait accueilli comme si elle m'attendait. Nulle part je n'avais rencontré la moindre hostilité. Il s'agissait maintenant de recommencer le même travail dans le monde de la nuit. Il fallait me présenter aux *ewusus* locaux et me faire accepter d'eux. Je me doutais bien que sur ce terrain-là il allait me falloir trouver autre chose que l'histoire du pauvre orphelin frappé d'ostracisme. Dans cette partie parallèle j'avais intérêt à sortir le jeu parfait et à être convaincant, car la moindre faute pouvait tout remettre en question et signifier la fin du voyage, voire de ma vie. Dans ces conditions il était essentiel que je me trouve un allié, aussi ma première préoccupation fut-elle de situer mon hôte. Je n'eus pas à le chercher puisque nous étions couchés sur les mêmes bambous. Il n'avait pas plus résisté au sommeil que moi. Je le guettai, gesticulai autour du lit, lui fis une véritable observation clinique. Rien. Il était évident que ce brave Ngambi était un simple ingénu. Couché sur le dos, la bouche ouverte, il ronflait comme une harde de phacochères.

Je sortis et traînai un moment autour de la case. Tout était calme. Décidé, je fonçai vers la rivière Libanga et retrouvai vite mon point de chute que j'avais désherbé. Je m'allongeai par terre et aussitôt que je fus calé au bon endroit je sentis comme des mains chaudes sur ma poitrine et une voix que je connaissais me parvint distinctement :

— Nsona, Nsona, vous m'entendez ?

— Ah, ça fait une éternité que je n'avais entendu personne me vouvoyer ! soupirai-je. Ça ne peut être que vous, monsieur Ndame…

— Oui, c'est moi. Alors, le village existe ?

— Il fait mieux qu'exister : il est bouillonnant de vie. Quelle heure est-il là-bas de l'autre côté ?

— Il est… 23 h 14. Ça fait des heures que nous guettons un signe. Nous craignions déjà le pire.

178

– Rassurez-vous, je vais bien pour le moment. J'avais à assister à une palabre, qui a failli s'éterniser.

– Ce qui signifie que vous avez été accueilli…

– Un peu trop bien d'ailleurs. Les gens d'ici sont chaleureux. On m'a fait visiter tout le village et je suis même déjà logé.

– Nsona, as-tu pu avoir des informations sur Jam-Libe ? intervint vivement Ada.

– J'ai vu Jam-Libe de mes propres yeux. Je lui ai même parlé.

– Formidable ! Et de quoi avez-vous parlé ?

– Bah, de rien d'important. Il prétend être le meilleur chasseur de son époque. Je dois l'accompagner demain pour chasser le rat palmiste dans les champs, ensuite nous irons visiter ses pièges dans la forêt.

– Concentre-toi sur lui, surtout ouvre l'œil et l'oreille.

– Sauf que ce Jam-Libe n'est pas tel que je l'avais imaginé. Figurez-vous que c'est un garçon qui n'a pas mon âge !

– Ah bon ?

– Vous ne le saviez pas ?

– Euh, non… Par contre ce dont nous sommes absolument certains, c'est qu'il mourra bientôt. Tous les recoupements établissent qu'il mourut pendant la saison des mangues sauvages de l'année 1705. Cette saison commence tous les ans au mois de mars et se prolonge jusqu'en avril. Et nous sommes déjà le 3 mars…

– Ici j'ai plutôt l'impression d'être en août pendant les grandes pluies. La Libanga est en crue, par exemple.

– La météo n'est pas le plus important. N'oublie pas les enjeux de ta mission, il faut que tu nous rapportes le secret de la dématérialisation afin que nous puissions terminer nos travaux sur le *dégagement matériel*, et qu'avec nos autres confrères nous puissions enfin passer à la divulgation des résultats de nos expériences. Ta responsabilité est lourde, car si le succès d'une seule de ces cinq premières expériences suffit à changer pour toujours la face du monde, l'échec de l'un des ateliers pourrait venir compromettre l'ensemble de la démarche. Au-delà du rayonnement de l'Afrique, la réussite de cette aventure pourrait provoquer un rééquilibrage des forces dans le monde, ce qui aura pour premier effet de libérer tous les peuples trop longtemps assujettis. Alors il n'y a pas une minute à perdre, puisqu'on a pu remonter jusqu'à Jam-Libe il n'est plus question qu'il décède avant d'avoir transmis son savoir.

– Je fais de mon mieux.

– Jusque-là tu as été parfait. Je ne doute pas que tu continueras sur cette lancée, que tu sauras t'emparer de ce que nous convoitons et surtout que tu nous reviendras.

– J'y compte bien. Je suis conscient du privilège que j'ai de manger dans la même écuelle que les défunts ancêtres, mais j'espère fortement revenir à ma vie normale.

– Voilà qui est bien dit.

180

Ndame nous coupa subitement la parole :

— En ce qui nous concerne, me dit-il, nous ferons tout ce qui est en notre pouvoir pour que vous puissiez revenir aussi aisément que vous êtes parti. Jusqu'à la dernière minute la sécurité autour de la fosse sera maintenue afin que votre corps ne souffre de rien. Et si vous rencontrez des obstacles sur le terrain, nous serons encore là durant les deux prochaines nuits pour vous fournir des décryptages à la limite de nos connaissances. Cependant, il y a quelque chose que vous devez savoir : bien que les expérimentations aient donné des résultats suffisamment convaincants pour autoriser la vulgarisation du *voyage retour*, je me dois de vous prévenir que si le succès de la phase de départ pour le passé est garanti à 100 %, le risque d'échec n'est pas totalement nul pour ce qui est de la phase de retour vers le présent.

— Je vous aurais su gré d'une telle franchise si vous me l'aviez dit *avant* !

— Oh, je m'en voudrais de vous causer maintenant la moindre inquiétude… Avec ce que vous traversez, ce n'est pas ce dont vous avez précisément besoin. Mon unique souci est de vous engager encore au respect scrupuleux de tout ce qui vous a été prescrit. Si vous le faites, votre retour ne devrait souffrir de rien.

— Je saurai m'en souvenir. Si Nliba est encore à vos côtés, dites-lui que j'ai rencontré ici un homme qui ne peut qu'être son ancêtre… Messieurs, vous comprendrez que je vous quitte si vite. N'ayant pas encore la maîtrise du paysage nocturne de ce village, je préfère ne pas m'attarder dehors. La chance m'a souri jusqu'ici, mais ne tirons pas trop sur la corde. A demain, s'il plaît à Dieu.

Je les plantai là et repris le chemin du village. Ne voulant pas attirer l'attention, je décidai de marcher normalement sur la piste comme un ingénu. Je me retournai un instant pour jeter un ultime coup d'œil à mon point de chute, l'endroit où se trouvait l'unique porte par laquelle je pouvais regagner le présent. Un épais brouillard flottait au-dessus des herbes, éclairé par une faible lune. J'accélérai le pas. Juste à la sortie de la voûte de bambous je perçus un léger bruissement en hauteur et je levai la tête, soudain très inquiet. Ouf, je ne vis personne.

*
* *

La traque des rats palmistes fut spectaculaire. Jam-Libe m'entraîna dans un champ d'arachides en compagnie de trois de ses cousins. Dans le champ, ils commencèrent par prospecter au sol à la recherche des trous et ils en découvrirent huit. Des trous étroits et tortueux qui permettaient aux rongeurs d'accéder à une galerie de labyrinthes menant à divers terriers. Alors Jam-Libe coupa des tiges effilées et en enfonça une dans chacun des sept premiers trous, ne laissant déborder qu'une petite partie de la tige munie de feuilles. Puis il bourra le huitième trou de feuilles sèches et y mit des

182

braises incandescentes qu'il avait transportées sur une écorce de bois. Il distribua un gourdin par cousin et plaça chacun à mi-distance entre deux trous. Voyant qu'il y avait plus de trous que de personnes je voulus prendre un gourdin pour venir en renfort, mais Jam-Libe m'en empêcha. Il me sortit même du périmètre d'action, m'ordonna de me contenter d'observer. S'accroupissant alors devant le trou d'où un filet de fumée s'échappait, il se mit à souffler dessus avec régularité. Tout d'abord rien ne se passa. Deux minutes plus tard, tous les autres trous commencèrent à exhaler de la fumée, sauf un. Jam-Libe demanda à ses cousins de se désintéresser de ce trou-là et de concentrer leur attention sur les six autres. C'est quand je vis la partie émergée d'une tige se mettre soudain à trembler de toutes ses feuilles que je compris la technique. Un cousin se rapprocha doucement du trou concerné, gourdin à l'épaule. Il attendit deux secondes, abattit sa matraque puis retira du trou par la tête un gros rat palmiste qu'il lança au milieu de la scène. Je n'avais pas fini de m'exclamer qu'un gourdin s'abattit à droite, suivi d'un autre à gauche… J'eus bientôt le tournis ! Dès qu'un rat tentait une sortie, il se frottait à la tige enfoncée dans son trou et c'est le tremblement des feuilles restées en surface qui le trahissait. Aussitôt qu'il pointait son museau il était accueilli par un coup de gourdin. Une seule fois un rat parvint à sortir vivant de son trou et ce fut d'ailleurs le clou de la représentation, car au lieu de se jeter à sa poursuite les cousins détalèrent dans des sens opposés et je fus ahuri de m'apercevoir que c'est le rat qui semblait maintenant les poursuivre. La pauvre bête fut coincée dans un triangle de gourdins et ne tarda pas à se retrouver couchée au milieu des cadavres de ses congénères. Toute cette parade ne dépassa pas dix minutes. Bilan : onze rats palmistes.

– Et encore, ça c'est pour se divertir, me dit Jam-Libe sur le chemin du retour. Quand je veux vraiment chasser le rat je vais un peu plus loin dans la forêt, je construis beaucoup de minuscules cases dans lesquelles je mets des noix, puis je piège l'entrée. Avec cette méthode, c'est chaque jour autant de cases autant de rats. Parfois je suis même obligé de désactiver momentanément mes pièges, le temps qu'au village l'on termine ma dernière livraison.

Le butin de notre petit divertissement fut remis à la grand-mère de l'un des cousins et nous convînmes de nous retrouver devant sa cuisine pour manger notre part juste avant d'aller à la palabre du soir. Après une courte escale de salutations sous le baobab où le gobelet avait déjà bouclé un premier tour de notables, Jam-Libe me proposa maintenant de l'accompagner visiter les pièges qu'il avait posés dans une forêt un peu plus éloignée. Les cousins ayant regagné chacun sa propre activité, c'est à deux que nous partîmes en emportant une machette grossière. Nous descendîmes vers la Libanga, la longeâmes pendant un moment, puis abandonnâmes sa berge pour nous enfoncer à l'intérieur des terres. Jam-Libe marchait avec la même aisance, que ce soit dans un fourré épineux ou sur une piste qu'il était le seul à distinguer. Je le suivais, silencieux, regardant de près certaines plantes. Notre présence faisait hurler les singes et j'en voyais qui nous guettaient de la cime des grands arbres. Nous traversâmes en trois pas un ruisseau tellement poissonneux qu'un énorme tilapia qui poursuivait un petit poisson vint heurter ma cheville. A un moment nous entendîmes un cri syncopé qui se reproduisit plusieurs fois. Jam-Libe s'arrêta, plissa les yeux et examina un buisson, puis il me fit signe de m'approcher. Je dus écarquiller les yeux avant de détecter l'auteur de ce cri : un écureuil. Il me confia alors que lorsqu'un écureuil se plaignait de la sorte, cela signifiait qu'il y avait une vipère dans les parages qu'il suffisait d'aller débusquer. Mais il suggéra plutôt de poursuivre notre chemin. Comme nous marchions dans un endroit plein de boue, Jam-Libe m'expliqua que quand les pluies rendaient le terrain boueux, cela facilitait la chasse car les animaux se mettaient à emprunter les mêmes pistes sur lesquelles on pouvait alors placer des pièges.

Quelques mètres plus loin, il écarta une feuille de sa machette et me montra au sol une piste de porc-épic. Il me dit que pour les petits animaux de ce type, trois sortes de pièges fonctionnaient parfaitement. Pendant cinq bonnes minutes il m'embrouilla avec des détails techniques. Je fis des efforts pour ne pas perdre patience. Je le regardais avec un sourire courtois, ne pensant qu'à basculer la conversation sur la seule chose qui m'intéressait : la dématérialisation. Plus je le regardais s'échiner à me transformer en chasseur, plus je commençais à penser qu'on s'était peut-être trompé de personne. Pour ne pas m'énerver ou m'assoupir je m'absorbai davantage dans l'observation de la flore, en quête de la plante hallucinogène, que je ne voyais toujours pas. Nous marchions, marchions. Ne pouvant plus savoir à quelle distance nous étions par rapport au village, je tremblais déjà à la perspective d'être amené à sortir du périmètre d'action autorisé dans le cadre d'un *voyage retour*, qui d'après Ndame était d'environ quinze kilomètres. Quand Jam-Libe acheva le quinzième volet de son cours, il me demanda si c'était de la même manière qu'on piégeait le porc-épic et le petit gibier dans mon village. Je lui répondis poliment que dans mon village les gens chassaient en groupe, et qu'aucun groupe ne m'avait été ouvert. Cela sembla le navrer. Plein de sollicitude, il enchaîna avec la capture du gros gibier.

Il m'avoua qu'au commencement les gibiers comme les grandes antilopes et les sangliers lui avaient causé beaucoup de difficultés. Quand ils étaient pris, il suffi-sait d'un coup de patte et ils faisaient voler tout son mécanisme. Il me dit qu'il avait alors pensé à les capturer par le cou, puisque ça ne marchait pas par les pattes. Cela s'était traduit par la confection d'un nœud de liane solidement rattaché à un arbuste, bien implanté, et lui-même maintenu courbé au moyen d'un précaire dispositif de lianes. Le nœud était disposé à mi-hauteur sur un sentier ciblé. L'animal de passage était censé se prendre le cou dans le nœud et c'est son agitation qui devait provoquer le redressement de l'arbuste, avec pour conséquence le resserrement du nœud suivi de l'asphyxie de la bête. La théorie était parfaite, sauf que dans la pratique Jam-Libe fut consterné de constater que la cinquantaine de nœuds qu'il avait essaimés avec précision dans la forêt étaient restés intacts. Il dut se rendre à l'évidence : ses nœuds étaient trop apparents. Même l'antilope la plus stupide de la brousse ne pouvait pas venir volontairement mettre son cou dans un nœud, à moins que… Jam-Libe, qui marchait en m'expliquant son idée avec force gestes, fut soudainement interrompu à ce stade par un raffut devant nous. Je cessai de bâiller : il y avait un porc-épic qui se débattait. Nous étions arrivés dans une zone minée de pièges. Le chasseur s'en fut estourbir l'animal puis il libéra la patte arrière qui avait été prise. Pendant que je vérifiais que le porc-épic était bien mort, Jam-Libe se mit à genoux et s'absorba dans la réfection de son piège. Je fus soulagé qu'il ne m'invite pas à voir comment il replaçait ses fourches, recourbait son levier et calait son déclencheur. Nous repartîmes en abandonnant le gibier sur place afin de nous encombrer de sa charge seulement au retour. Cinq minutes de marche commando plus tard, je perçus un bruit de cascade qui me rappela quelque chose. Je fonçai alors en direction de l'endroit d'où venait ce bruit. Après une petite descente sur un sol parcouru de grosses racines apparentes, j'écartai le feuillage et me retrouvai devant une belle chute d'eau.

Jam-Libe ne tarda pas à me rejoindre au bord de l'eau et il eut la délicatesse de me laisser me repaître en silence de cette nature généreuse. Il était très loin d'imaginer que j'avais déjà visité cet endroit, dans une autre époque… C'est ici que j'avais accompagné des élèves après une certaine partie de football. Le débit de l'eau me semblait maintenant plus élevé et le grondement plus fort, car la rivière présentait encore les traces de la dernière crue. L'eau glissait avec violence sur un rocher long d'une centaine de mètres, avant de franchir une petite dénivellation. Je fermai les yeux et je revis Mouche et ses camarades courant sur la roche inclinée pour aller sauter dans les eaux bouillonnantes. A part la quantité d'eau, cet endroit n'avait absolument pas changé ! Cela me donnait une idée de ce qu'on appelle éternité. Ça me faisait drôle de songer qu'il fallait encore attendre trois siècles pour que vienne s'implanter un lycée à un jet de pierre de ce lieu magnifique. Un lieu qui allait sans doute rester inchangé pour des millénaires encore. Je commençais à ressentir le besoin d'aller explorer le site qui plus tard accueillerait le campus du tout premier lycée du canton, lorsque Jam-Libe abattit une main chaleureuse sur mon épaule. Je recouvrai immédiatement mes esprits et nous quittâmes les chutes de la Libanga. Nous marchions en silence quand soudain j'aperçus une grosse antilope. Elle était debout, avec un long cou. Je n'avais jamais vu d'antilope vivante et je fus frappé par sa taille et sa masse. Mon compagnon, qui l'avait vue aussi, était étrangement

188

flegmatique. Quand l'antilope nous vit elle s'affola et voulut s'enfuir mais elle sembla happée par quelque chose, tomba et se releva en bramant furieusement. Elle courut dans l'autre sens et fut de la même façon projetée au sol. De la bave s'échappait de sa bouche. Je fus vite intrigué par un détail. Je me rapprochai, regardai, regardai encore. Rien. Rien ne semblait retenir cet animal, pourtant il n'arrivait pas à se dégager et à s'en aller. Je me retournai vers Jam-Libe, il affichait un petit sourire de satisfaction. Je compris que l'animal était pris dans un piège.

*
* *

En regardant la position du soleil je supposai qu'il était plus de quinze heures. Il faisait une chaleur de bête. Les traces de la pluie de la veille avaient presque disparu, les mares étaient en train de sécher au grand dam des grenouilles et des canards. Assis sous le baobab, la main à la joue, je regardais la scène du partage de l'antilope en autant de quartiers de viande qu'il y avait de groupes familiaux. Mes deux gigots je m'étais dépêché de les offrir à la préparation du repas collectif d'avant-palabre, ce qui avait considérablement concouru à dérider les deux notables préposés au dépeçage. La vie se poursuivait avec gaieté dans le village et moi j'étais là, contemplatif. Je pensais à tout cet enchaînement de contingences qui m'avaient arraché à la vitesse d'une existence moderne pour me précipiter dans ce monde où battait encore le cœur de l'authentique société africaine. C'était grisant de se retrouver connecté en prise directe avec la réalité historique, de pouvoir revisiter *in vivo* l'organisation sociale, le mode de vie, les habitudes alimentaires et vestimentaires, les croyances, bref la vie quotidienne de cette population perdue dans la forêt équatoriale du XVIIIᵉ siècle naissant. Je pensais à tous ces archéologues qui à l'avenir n'auraient plus besoin de retourner le sous-sol pour pouvoir jouer au puzzle avec un squelette d'Homo erectus, à tous ces historiens et ethnologues qui auraient désormais le moyen d'écrire des livres crédibles, et même à tous ces croyants qui auraient enfin la possibilité d'aller rencontrer leurs prophètes en attendant le Jugement dernier. Je songeais à beaucoup d'autres fantasmes que mon retour glorieux allait pouvoir mettre à la portée de l'humanité. Car je ne doutais plus de la réussite de ma mission. Depuis que j'avais clairement identifié ce qu'il fallait prendre et ramener à mes commanditaires, je baignais dans l'optimisme. J'avoue que j'étais tout de même un peu scandalisé que la clé de tant de trésors me soit apparue au détour d'une tournée de pièges, en suivant un jeune broussard. C'était étonnant de penser que sur ce jeune homme reposait l'avenir de la science moderne et les espoirs d'émancipation de plus de la moitié des habitants du XXIᵉ siècle. Lui, Jam-Libe, primitif chasseur du début des années 1700 fier de ses pièges, ne pouvait même pas soupçonner qu'au moment même où il mettait en place d'ingénieux systèmes pour attraper scientifiquement des rats palmistes dans son coin de brousse, un certain Isaac Newton jetait à l'autre bout de la Terre les bases de la mécanique classique qui seraient à l'origine des prochains bouleversements du monde. Mais ce que le brave Jam-Libe pouvait encore moins soupçonner, c'était que le petit don qu'il possédait était le sésame que le monde attendait pour passer à une nouvelle ère scientifique. Un don que lui, pour sa part, n'avait jamais songé à utiliser que pour escamoter les nœuds de ses pièges afin de tromper la vigilance des grandes antilopes… La bonne nouvelle était que ma mission se ramenait désormais à une chose terre à terre : apprendre de Jam-Libe sa technique particulière pour piéger le gros gibier. Ce qu'il m'avait spontanément proposé dès le premier jour en guise de bienvenue, qu'il s'était échiné à m'expliquer par la suite et que j'avais failli compromettre en jouant les mauvais élèves !

Moi qui ne cessais de me demander depuis le début comment j'allais pousser l'homme à confesse, moi qui redoutais un affrontement pouvant conduire à me démasquer avec toutes les conséquences imaginables et inimaginables, je me retrouvais béat devant la vérité qui se faisait subitement banale. Le secret tant recherché de la dématérialisation se nichait dans la technique de piégeage de Jam-Libe. Une technique qu'il avait imaginée, perfectionnée au moyen de quelques qualités empruntées à sa vie d'*ewusu* et qu'il n'avait encore transmise à personne. L'espérance de vie de Jam-Libe était trop courte, lui ne le savait pas mais il ne lui restait que quelques jours à vivre, voire quelques heures. Si je ne l'encourageais pas rapidement à me le transmettre, le secret serait perdu pour toujours et avec lui nos espoirs de révolution scientifique. Il ne me restait plus qu'à approcher le jeune chasseur dans le bon cadre afin de manifester plus d'enthousiasme pour ses cours de piégeage.

Rasséréné par tant de bonnes perspectives, je voulus me lever mais je vis à ce moment-là une fille qui venait vers moi. Les cheveux sagement nattés et la peau luisante d'huile de palmiste, elle ne portait sur le torse que des colliers de pouces-pieds dont le plus long plongeait entre ses seins. Elle avait un grain de beauté juste à côté du nez. Sans même me dire bonjour elle déposa délicatement par terre devant moi un paquet enrobé de feuilles végétales qui semblait sortir de la braise et qui dégageait une odeur alléchante. Elle se retourna et s'éloigna en balançant une chute de reins de rêve qui me laissa le ventre en feu. Je ne la quittai des yeux que quand elle entra dans une cuisine de l'autre côté de la piste. Il me fallut d'abord prendre le temps de me détendre, car je sentais que c'était par les femmes que mon malheur risquait d'arriver dans ce village. Quand je m'estimai détendu, je défis les liens du paquet en salivant : c'étaient des silures assaisonnés au *mbongo*. Je goûtai une queue et décidai d'aller partager tant de délices avec mon hôte Ngambi, qui n'avait certainement mangé que des bananes et des papayes depuis le matin. Je sortis sous le soleil, chargé de mon paquet de silures. Au moment où je gagnais la piste, quelqu'un me héla dans mon dos. Je pivotai : c'était Tikyo, le jeune homme dont on disait qu'il avait été trouvé errant dans la forêt. Il me fit signe de l'attendre sur place et accéléra le pas. Il avait aidé au dépeçage de l'antilope et avait les mains encore couvertes de sang. Je crus d'abord qu'il convoitait mes silures. Arrivé à ma hauteur, il jeta un furtif coup d'œil à mes pieds puis me dit sur le ton de la confidence :

– Tu es bien chanceux. Depuis le temps que je suis dans ce village, on m'a donné tant de choses mais jamais on ne m'a offert de paquet avec autant d'attention. Toi c'est seulement hier soir qu'on t'a présenté et déjà une fille a barré un ruisseau, attrapé des silures, coupé des feuilles de bananier et confectionné un paquet pour toi. Rien qu'à l'odeur que je sens d'ici, je peux te dire qu'elle a pris son temps. Il y a au moins une trentaine d'ingrédients dans son *mbongo*-là. Quand on arrive quelque part et qu'on a les femmes de son côté, c'est bon signe. Seulement, ne la fais pas trop attendre parce que comme elle a clairement montré qu'elle te veut, si d'ici à demain tu ne l'as pas poursuivie à la rivière, ou pire, si tu as poursuivi une autre femme, ça te fera une ennemie dans le village. Et moi, connaissant bien ta situation, je ne saurais trop te conseiller d'éviter les problèmes…

Je dressai une oreille. Tikyo regarda à gauche et à droite, se pencha vers moi et ajouta à voix basse :

– Crois-moi, les filles d'ici sont moins procédurières que nos midinettes de Yaoundé. En revanche, elles sont beaucoup plus rancunières.

Une poussée d'adrénaline me pétrifia instantanément : Tikyo venait de dire sa dernière phrase *en langue française* ! Il ne me laissa pas le temps de me recomposer :

– Eh oui, je t'ai tout de suite repéré. Il faut dire que quand on est prévenu ce n'est pas très difficile de distinguer un citadin, même grimé en indigène primitif. Viens, allons nous asseoir là-bas sous un arbre, dit-il en me passant fraternellement la main sur l'épaule. Et puis dépêchons-nous de laisser de côté la langue de Voltaire, dont nous voilà par ailleurs devenus contemporains. Quelqu'un de vraiment dangereux pourrait nous surprendre. Reprenons vite notre belle langue ancestrale.

Je fus bien obligé de suivre ce curieux bonhomme vers la sortie du village en m'appliquant à respirer posément pour garder le plus de calme possible. Je ne pensais même pas encore à réfléchir à une conduite, et mon paquet de silures me sembla tout à coup dérisoire entre mes mains. Dès que nous fûmes assis à l'ombre d'un manguier, il reprit la parole :

– Je savais qu'*ils* n'allaient pas tarder à envoyer quelqu'un d'autre, parce que ces deux types-là ne sont pas hommes à rester sur un échec. Quand hier en sortant de la forêt j'ai appris qu'il y avait un jeune homme bizarre qui cherchait le village de sa mère, je n'ai pas attendu de te voir pour comprendre que messieurs Ada et Ndame avaient trouvé un deuxième impétrant pour le *voyage retour*. Je me suis délecté de l'histoire romanesque que tu as servie à nos hôtes. Rien que cette approche a commencé à me convaincre que tu étais un candidat à prendre au sérieux. Moi j'avoue que quand j'avais été parachuté dans ce sacré village, j'étais tellement perdu que je n'arrivais plus à enchaîner deux idées cohérentes. Pourtant dans ma vraie vie on me regarde comme un surdoué. Je pense qu'il est nécessaire que je te raconte mon histoire, qui doit être un peu semblable à la tienne. A quelques omissions près.

« Tikyo est une partie de mon véritable nom. Je m'appelle en réalité Tikyo Tikyo Jean-Michel. Mon père m'avait prénommé ainsi en hommage à Jean Miché Kankan, le plus illustre humoriste du Cameroun qui décéda en 1997 après avoir fait rire toute l'Afrique pendant plus de vingt ans. Je suis originaire de la ville d'Edéa dans la Sanaga-Maritime, mais j'ai toujours vécu à Yaoundé. J'ai aujourd'hui vingt-sept ans révolus s'il faut compter dans le bon sens et non à reculons de 1984 à 1705, année en cours actuellement et en laquelle j'ai déjà passé vingt-deux jours... Oui, je comprends ton étonnement qui prouve que tu as suivi les mêmes leçons que moi. Ndame, qui me semblait pourtant maîtriser son sujet, m'avait bien assuré qu'on ne pouvait tenir plus de dix jours pendant un *voyage retour*. Sans mettre ses compétences en doute, je remarque que je suis toujours vivant et j'ai bien l'intention de profiter au maximum des quelques jours qui me restent encore à vivre, même s'ils sont incertains.

« Je suis le premier petit-fils de Jean-Paul Ada, l'homme par qui tout a commencé. Quand on est enfant, on ne peut rêver meilleur compagnon de jeux qu'un grand-père maternel qui vous balade toute la nuit au-dessus de la ville et qui vous montre comment entrer dans une confiserie sans en relever les volets. J'ai toujours été *ewusu* autant que je me souvienne, et comme ni mon père ni ma mère n'en étaient, je compris vite que c'est à mon gentil aïeul que je devais mes étranges facultés.

« Mon père, huissier de justice et respectable dignitaire de sa tribu, me donna l'éducation qui sied à un jeune Africain de notre époque : l'école en français et tout le reste en langue nationale. Je ne pense pas avoir une seule fois échangé avec lui autrement qu'en langue bassa. C'était pour lui une question d'honneur, et je pense que le fait que ma mère ne soit pas de la même tribu que lui y était aussi pour quelque chose. Pour bien asseoir ma culture, il me fit passer mes moindres congés dans notre village natal qui se trouve près d'Edéa, et dont on pourrait peut-être retrouver la trace à quarante kilomètres d'ici. C'est là-bas que j'appris à pêcher et même à extraire du vin de palme, chose qui s'est révélée déterminante pour mon intégration dans ce village-ci. C'est en côtoyant les anciens de mon village que je m'appropriais des choses comme l'art de parler en paraboles, l'interprétation des jurons et des mimiques, le respect du droit d'aînesse et même certains rites alimentaires qui pourraient faire sourire ailleurs. J'appris quantité de petites choses parfois extravagantes, qui ont le don de rendre nos cérémonies traditionnelles énigmatiques. Cela ne m'empêcha pas de poursuivre des études sérieuses et de décrocher une maîtrise de mathématiques à l'âge de vingt ans. J'étais donc ce qu'il est légitime d'appeler quelqu'un d'équilibré.

« Pendant que l'école et les traditions occupaient mes journées sous le contrôle de mon père, mon grand-père lui s'occupait de mes nuits. Il fit vraiment de son mieux pour que je sois un *ewusu* de qualité. Je n'ai jamais demandé à l'être, mais j'assume tout ce qu'il m'a été donné de commettre, et je suis conscient des privilèges que j'en ai souvent tirés. Ça ne me dérange pas du tout d'être un peu différent des autres, même si parfois il fallut que je me force pour mettre des gens hors d'état de nuire. Je pense que si je ne me suis jamais pris en horreur c'est aussi grâce à mon grand-père, qui ne se contenta pas de me jeter dans le bain mais qui sut également prendre le temps de me montrer un certain chemin. Et je l'ai toujours suivi.

« C'est pourquoi je souscrivis sans réserve à son projet la nuit où il me convoqua au-dessus de l'Immeuble de la mort pour me proposer cette mission. Je savais déjà que mon grand-père était un peu fêlé mais, lorsqu'il eut achevé son exposé cette nuit-là, je fus convaincu qu'il était fou. Quelqu'un de normal ne pouvait pas accoucher d'une intention pareille, et le comble c'était que je croyais toujours en lui. Nul au monde ne connaît ce monsieur mieux que moi, c'est

197

quelqu'un d'extrêmement pratique qui sait... disons, mélanger des idées contraires. Depuis tout petit je suis bien placé pour savoir que quand il dit deux fois la même bêtise, cela veut dire que ce n'est pas tout à fait une bêtise. Ce qui le grandit encore c'est qu'il a l'honnêteté de savoir identifier ses propres limites, en plus de l'humilité qui permet aux grands hommes de savoir profiter de l'idée géniale qu'ils n'ont pas eue. C'est pourquoi il a toujours pu s'entourer de compétences complémentaires. Quand il m'entraîna chez Ndame, dès que ce dernier ouvrit la bouche je me sentis honoré d'avoir été choisi. Il est vrai que mon grand-père n'avait pas eu besoin d'organiser un casting pour trouver un jeune Bassa parlant correctement sa langue, mais il en fallait quand même un qui soit suffisamment illuminé pour accepter en bloc tant de concepts absurdes ; mon mérite fut d'avoir cette qualité rare.

« Je descendis à Messondo pour mes repérages avec l'enthousiasme d'un scout, escaladai la colline Ndik-ba, parcourus en long et en large le site abandonné, déterminai un endroit pour ma fosse et insistai même pour participer au creusage de celle-ci. Nliba dut m'avouer qu'il comptait la creuser pendant la nuit pour que je renonce, vu les impératifs de discrétion. Il était prévu que je rentre à Yaoundé pour ne revenir que la nuit du départ, mais j'étais tellement confiant que je décidai de rester à Messondo pendant toute une semaine, que j'occupai à vadrouiller avec les trois petits Nliba. Si Ada et Ndame n'étaient pas vite venus m'expédier avec leurs feuilles qui ressemblent au chanvre, je serais devenu la star du club local de jeu de dames. Voilà comment je me suis retrouvé ici.

« Quand le jour se leva après mon arrivée, je n'eus aucune peine à localiser le village et je rampai jusqu'à ce talus là-bas, qui offre une vue idéale de la grande cour. La toute première scène que je vis me souffla et je restai hébété pendant des heures. Il y avait plein de gens dans la cour, hommes, femmes, enfants, debout, qui semblaient attendre quelque chose. Ils étaient tout sourire et regardaient une petite case de laquelle sortait de temps en temps un hurlement de douleur. J'étais tapi dans mon buisson, les yeux ecarquillés. Tout me fascinait, les tenues, les mimiques, les bouts de phrases qui me parvenaient, je m'étonnais même de voir qu'il y avait des toitures bien faites, quoique en nattes de raphia. Je m'étais toujours demandé comment étaient nos lointains ancêtres, ceux qui n'avaient pas vu l'homme blanc, comment ils vivaient, quels étaient leurs ustensiles... La réponse était là devant moi. J'en étais encore aux données anthropologiques quand une femme forte sortit de la case ciblée et cria : « C'est un garçon ! », ce qui mit la cour en ébullition. Des youyous retentirent de toutes parts. Les hommes présents entourèrent un jeune homme, l'entraînèrent dans une autre case, ressortirent sans lui et posèrent une écuelle remplie d'eau sur le toit de la case. J'entendis dire que le jeune homme devait rester enfermé pendant cinq jours. Enfin les hommes s'en furent s'asseoir sous le baobab et les femmes restèrent à célébrer l'événement devant la première case. J'avais déjà deviné qu'une femme venait d'accoucher mais, en associant d'autres bribes de paroles je finis par comprendre que le jeune homme enfermé était le père de l'enfant. La même femme forte ne tarda pas à ressortir chargée de quelque chose de sanguinolent qu'elle s'en fut enterrer au pied d'un bananier. J'en déduisis que c'était le placenta. Je restai rêveur, ne sachant quoi faire. Après un moment je vis des femmes passer avec des calebasses hémisphériques. Elles descendirent vers la rivière et je les suivis avec précaution. De mon buisson je les vis se dénuder et s'amuser dans la rivière en se servant de l'eau comme d'un tam-tam ; je les vis se brosser les dents avec des tiges végétales ; je les vis cueillir des herbes mousseuses et se frotter le corps avec, s'en servir comme gant de toilette. Je finis par détaler parce que j'étais encore tout nu, et que je ne tenais pas à ce que l'on me surprenne dans une posture compromettante. Je passai toute la journée à errer de bosquet en bosquet, guettant tantôt tel groupe de cases tantôt tel autre, et la nuit tomba sans que j'aie trouvé le courage de me montrer. Les découvertes que j'avais faites, même les évidences qui m'étaient apparues, toutes étaient venues les unes après les autres installer en moi une gravité qui s'était peu à peu muée en inhibition. Mon enthousiasme s'était vite envolé devant la réalité. J'avais face à moi une Afrique authentique, spontanée et heureuse, et j'avais l'impression de la souiller de tous les traits de mon époque bâtarde. En proie à une inattendue culpabilité, je me cachai dans un buisson et m'endormis après avoir épié une palabre qui acheva de me rendre nostalgique. Pas une fois je n'eus l'idée d'aller à mon point de chute pour échanger avec les deux qui m'attendaient.

« Un deuxième jour se leva et je recommençai à tourner autour du village. J'étais encore plus tourmenté que la veille mais quelque chose de plus terre à terre venait s'ajouter à mes angoisses : j'avais faim. C'était la première fois de mon existence que je passais plus de vingt-quatre heures sans manger et c'est cette indisposition qui me ramena à la réalité. Les possibilités n'étaient pas nombreuses : à moins de me présenter devant une cuisine dans le plus simple appareil, j'avais le choix entre la cueillette de fruits ou déterrer quelques tubercules de manioc. A ce moment précis j'étais loin de toutes les théories révolutionnaires dont m'avaient abreuvé mon grand-père et son acolyte. Seul mon ventre comptait et lui aussi était en révolution. Comme les arbres fruitiers étaient trop rapprochés des cases, j'optai pour le manioc cru. J'avais remarqué la veille que des femmes étaient parties avec des paniers d'osier sur la tête et revenaient au village avec des vivres quand il avait commencé à faire trop chaud. Je me forçai à attendre prudemment l'après-midi pour me mettre en quête. C'est donc tandis que je patrouillais à la recherche d'un champ que je tombai nez à nez avec deux bonshommes qui portaient des dépouilles de singes dans le dos. Rien que de les voir de près déclencha en moi le souvenir des horreurs que

201

j'avais apprises sur les tribus anthropophages qui furent les premières à faire la légende de l'Afrique. Pris de panique, je tentai de m'enfuir mais je fus vite rattrapé et plaqué au sol. Après m'avoir quand même secoué un peu, les deux chasseurs m'abrutirent de questions à tel point qu'il me fallut du temps pour me rappeler que nous parlions la même langue. Je donnai mon patronyme et eus tellement de peine à prononcer les quelques phrases que j'avais pourtant préparées que je fondis en larmes. Mais même au plus profond de mon chagrin, je veillais à garder les deux mains sur mon sexe, car j'étais circoncis et je doutais qu'ils le soient. Par chance ils ne s'intéressèrent pas particulièrement à mon organe procréateur mais me fabriquèrent un cache-sexe et m'offrirent de les suivre au village.

« Mon entrée dans la grande cour ne déclencha pas de youyous, mais les mêmes gens que j'avais vus danser du haut de mon talus me témoignèrent d'emblée une compassion qui me confondit. Des mamans m'apportèrent à manger et à boire avant même que je n'atteigne l'arbre à palabre. Elles se préoccupèrent de la douleur que ma mésaventure devait causer à mes proches avec une sincérité qui faillit me faire avouer mon bobard. Comme il n'y avait pas un lit vacant, deux jeunes gens furent commis pour couper des bambous et ma couchette fut montée en deux temps trois mouvements. Honneur suprême, le doyen Ngué me casa dans sa famille. Avant la tombée de la nuit, tout le village m'avait rendu visite. Même Jam-Libe se manifesta. La palabre

202

du soir fut évidemment articulée autour de ma modeste personne.

« Cette nuit-là un reste de loyauté envers mon grand-père me poussa à me transformer en *ewusu* et à me rendre du côté de mon point de chute. Dès que je posai la nuque par terre, une question fusa :

– Mais où étais-tu donc passé ?

– Laissez-moi au moins reprendre mon souffle ! L'important n'est-il pas que je sois là ? rétorquai-je.

– Alors, parle.

– Je suis en Afrique.

– Mais bien sûr. Et qu'as-tu vu ?

– Tout ! Ah, si seulement vous pouviez savoir…

– Jean-Michel, Jean-Michel, reprenons-nous et parlons sérieusement. Que le dépaysement t'ait un peu perturbé, cela se comprend. Mais n'oublions pas l'essentiel : as-tu vu Jam-Libe ?

– Oui.

– Voilà ce qu'on appelle une grande nouvelle ! Quel genre d'homme est-il ?

– C'est un simple jeune homme de mon âge. Je trouve bizarre qu'il soit doté de tout ce pouvoir, rendez-vous compte qu'il n'est même pas un notable dans son village ! Je m'attendais plutôt à voir un vieil-lard taciturne à la barbe blanche.

– S'il s'appelle Jam-Libe alors c'est notre homme, quel que soit son âge. Il est le seul de son époque à prati-quer la dématérialisation, et peut-être le dernier de l'humanité. Bon, fiston, tu fais du bon travail et je suis fier de toi. L'histoire retiendra que c'est toi qui payas de ta personne pour que le tiers monde et tous ceux que l'on abuse puissent se libérer. Mais en attendant il va falloir concrétiser. Malheureusement nous ne pouvons plus grand-chose, nous autres. Tout repose désormais sur toi. Dès demain matin occupe-toi de Jam-Libe, ne le lâche plus. Je ne veux pas savoir comment tu feras mais débrouille-toi pour revenir ici avec la recette de ce fameux procédé.

– Nous verrons tout cela demain. Pour le moment je suis vanné, la journée a été terrible pour moi. J'ai encaissé trop d'émotions et je sais déjà que je ne m'en remettrai pas.

– Va donc te reposer. Mais n'oublie pas : le temps est compté pour lui et même pour toi. Il faut que tu te dépêches.

– Retrouvons-nous demain, j'aurai peut-être des nouvelles.

Nous ne nous retrouvâmes pas, car quand le jour suivant je fis le tour du village je décidai de ne plus jamais quitter cet endroit. Au moment où je prenais cette décision, j'entamais ma troisième journée ici. J'avais bien en tête la date-butoir qui m'avait été prescrite et qui ne me laissait plus qu'un maximum de sept jours d'autonomie. Avec tout ce que j'avais déjà expérimenté auprès de nos deux gourous, je n'avais que de bonnes raisons de croire en cette fatale issue. Décider de rester revenait donc à me condamner à vivre encore une semaine. Puis à mourir. Je m'assis sur une souche, fermai les yeux et revis l'époque d'où je venais. Le monde où j'étais né. Toutes les commodités et conduites qui là-bas font de nous des hommes modernes et civilisés. Tous ces ordinateurs qui interconnectent les villages de la planète entière, qui nous retiennent du matin au soir dans les mailles de ces réseaux dits sociaux qui nous donnent l'illusion de nous fréquenter alors qu'ils nous transforment progressivement en fantômes ; ces téléphones intelligents qui portent plus loin la parole et qui permettent qu'on nous suive à la trace ; ces belles voitures grâce auxquelles on gagne du temps ou perd la vie ; toutes ces autres choses utiles que l'Afrique ne fabriquera peut-être jamais et qui lui coûteront tout. Je pensai à ces mille Eglises rivales qui nous désarment à coups de dogmes, nous capturent, et qui se soucient plus de la dîme que de la Bonne Nouvelle. Je pensai à l'Etat, ce monstre tentaculaire qui nous ruine méthodiquement sans jamais parvenir à s'enrichir lui-même. Je pensai à toutes ces frontières qu'on avait tracées sur la carte du monde, à tous les papiers qu'il faut obligatoirement réunir pour avoir le droit d'en franchir une, à tous les types désespérés qui traversent les déserts et les mers et qu'on n'accueille pas avec la chaleur que j'ai rencontrée ici. Je pensai à toutes ces lois rébarbatives que nul n'est censé ignorer. Je pensai à tous ces gens aux ordres, en veste et cravate, armés de paperasses à la poursuite de chiffres, que je fréquentais au quotidien. Je pensai à toutes ces factures accablantes qui font du début de chaque mois un triste épisode de notre vie citadine.

Certes j'appréciais d'appartenir à un siècle qui avait vu naître la pénicilline et les dessins animés, mais assis sur ma souche je ressentis surtout la honte de représenter ici ceux qui avaient inventé la bombe atomique, le sida et la TVA. Ma dernière pensée fut pour ma pauvre mère, esseulée depuis le décès de mon père et mes migrations professionnelles ; saurait-elle comprendre que j'aie choisi une semaine de liberté… C'est vrai, ma démarche avait quelque chose d'égoïste. Interrompre ma mission me comblait de bonheur, même éphémère. Mais par voie de conséquence cela privait tous ces nombreux autres, que je plaignais, de tout espoir de libération. La science allait rester entre les mains des plus forts et continuer sa progression aux dépens des plus faibles.

« Ma semaine de vie, chèrement acquise, je la vécus intensément seconde par seconde, je n'eus même pas trop besoin de me transformer en *ewusu* pour me sentir transporté. Je me fondis dans cette société que je sentais mienne et dont les codes, même les plus ridicules, me convenaient. Je fus heureux jusqu'au septième jour, et au soir de ce jour, que je croyais le dernier, je baisai cette terre qui m'avait accueilli, louai ces lointains ancêtres qui m'avaient recueilli, et m'allongeai sur mon lit de bambou, prêt à rendre l'âme. Je fus étonné d'être encore en vie le lendemain. Je m'étonne ainsi chaque matin depuis douze jours et je sais que la fin est proche. J'accepte mon sort avec allégresse parce que chaque journée supplémentaire passée ici vaut pour moi toute une vie dans l'autre monde.

« Et puis subitement tu as débarqué. Ton arrivée dans ce village m'a rempli d'une joie supplémentaire, car en sachant que tu réussiras dans la mission que j'ai abandonnée je mourrai avec moins de remords. En vingt-quatre heures tu as réalisé la prouesse de rester seul avec Jam-Libe pendant près d'une demi-journée. Je vous ai vus tout à l'heure revenir de la chasse, et je t'ai bien observé juste après : quelque chose me dit que tu es déjà sur la voie qui mène au secret de la dématérialisation. Je suis disposé à t'apporter toute mon aide, en cas de besoin. Il faut que tu saches que je suis de ton côté, pas seulement parce que toi et moi sommes les seuls dans ce village à être contemporains, mais aussi parce que je souhaite que tu puisses retourner en 2011 pour rencontrer ma mère.

— Et que voudrais-tu que je puisse dire à ta mère ?

— J'aurais tant aimé lui donner de mes nouvelles, mais ce serait lui briser le cœur. La pauvre, elle ne soupçonne même pas encore ce qui m'est arrivé et doit me croire actuellement au travail quelque part. Je suis son fils unique et elle ne me reverra jamais. Quand tu seras rentré, je te prie d'aller lui dire que j'avais souscrit une assurance-vie à son profit. Ma boîte sur internet est : *jmtikyo@yahoo.fr*. Le mot de passe c'est *kankan*. Tu trouveras dedans un dossier qui contient toutes les informations sur moi, même le code de ma carte bancaire y est mentionné. Ma chère mère habite le quartier Pongo à Edéa. Ce sera pour toi un jeu d'enfant de la localiser puisqu'elle passe le plus clair de son temps à boire du vin de palme au marché *Bôm i yendeck*. Je ne sais pas comment tu t'y prendras pour aborder le sujet avec elle, mais je te fais confiance. Promets-moi que tu iras la voir.

– C'est promis.

– Merci. En retour je surveillerai tes arrières ici. Pour déjà te prouver ma bonne foi, je m'engage à ne pas te pister cette nuit après la palabre, quand tu iras à ton point de chute pour faire ton rapport à nos deux amis.

– Ce qui signifie que tu m'as précédemment filé ?

– Il fallait bien que je vérifie mon hypothèse.

– Tu as donc tout entendu ?

– Je n'ai pas eu l'honneur d'écouter les deux patrons, je me suis contenté de ce que tu leur disais. Tu avais l'air de parler tout seul et c'est plutôt rassurant ; car s'il arrivait qu'on te surprenne, au pire on te prendrait pour un fou.

– Je me demande si je ne vais pas finir par perdre effectivement la raison.

– Pas maintenant, il y a encore tant à faire. Et puis ce serait fâcheux qu'avant ton retour ta fosse soit comblée avec ton corps charnel dedans.

– Devrais-je en déduire que c'est ce qui est arrivé au tien ?

– Si tu en doutes, tu pourras toujours recouper l'information cette nuit auprès des organisateurs du voyage.

– Maintenant que tu en parles, ça me rappelle que pendant mes repérages sur le site du village abandonné j'ai vu un endroit où le sol avait été fraîchement retourné. J'ai alors pensé que c'était l'œuvre de quelque phacochère.

– Si phacochère il y a, il doit s'appeler Nliba… Il faut les comprendre : avant de conduire le nouveau candidat sur le site de départ, le moindre bon sens commandait d'effacer toute trace du précédent échec.

– Mais c'est horrible !

– Non, c'est la vie.

– Dis, as-tu déjà vu notre plante hallucinogène depuis que tu es dans le coin ?

– Non, mais c'est peut-être parce que je ne l'ai pas spécialement cherchée, puisque je n'en ai plus besoin. Mais que ça ne te décourage pas, continue de prospecter. Voilà ton admiratrice qui s'impatiente ; elle n'arrête plus de traverser la grande cour dans tous les sens. Elle se nomme Ngo Minka et est célibataire. C'est pourquoi elle a les seins nus. Garçon, tu as intérêt à faire du bon travail.

Tikyo me fit un clin d'œil complice avant de se lever. En le regardant s'éloigner, j'aperçus mon hôte Ngambi à l'autre bout de la cour, qui se dirigeait vers un papayer. Je lui fis de grands signes de la main. Il me rejoignit et se jeta sur mon paquet de silures avant même que je ne le lui offre. Ce n'est qu'après avoir nettoyé les feuilles avec la langue qu'il me demanda :

– Comment as-tu eu ce paquet ?

– C'est cette jeune femme-là qui me l'a apporté, dis-je en désignant la concernée d'un mouvement des lèvres.

– Ngo Minka ?

– Elle-même.

Ngambi m'observa un moment en se frottant la balafre, puis il me dit :

– Petit, rappelle-moi demain matin de te montrer l'oignon de mon grand-père qui est planté derrière ma case. Chaque matin après ton réveil, la première chose que tu feras désormais ce sera d'aller pisser dessus. Si tu arroses régulièrement cet oignon de ton premier pipi de la journée, tu deviendras sexuellement invincible. Chaque femme avec laquelle tu coucheras ne pourra plus se passer de toi.

Il s'en fut boire de l'eau dans la cuisine la plus proche, non sans m'avoir prédit un bel avenir. Resté seul je me repassai les propos de Tikyo en me demandant si j'allais pouvoir gérer cette affaire. Déjà je ressentais la désagréable impression d'être le dindon d'une farce macabre. Beaucoup de certitudes s'écroulaient dans ma tête. Pour ne pas sombrer dans le découragement, je fis l'effort de ne plus penser aux deux manipulateurs qui m'avaient mis dans cette situation, et à ce qu'ils avaient pu me cacher d'autre… Il nous restait deux causeries à distance et je sentais déjà que la prochaine allait être houleuse.

*
* *

Je n'eus vraiment pas la tête à la palabre du soir, pourtant ce ne fut pas faute de sujets intéressants. Hormis une bagarre générale de coépouses, des dégâts causés par un troupeau de chèvres en divagation et d'autres menus faits-divers, un couple incestueux fut jugé. On prépara un bain d'herbes pour soigner les coupables, une tendre jeune femme et un garçon du même âge qui étaient cousins issus de germains, mais ils furent d'abord obligés de reproduire leurs ébats devant toute l'assemblée conformément aux coutumes. Aussitôt qu'ils eurent remis leurs cache-sexe, je me retirai, me transformai en *ewusu* et mis le cap vers mon point de chute.

— Nsona, tu es plus ponctuel cette nuit. Cela veut-il dire qu'il y a du nouveau ? me dit Ada en m'accueillant.

— Oui, il y a du nouveau : pourquoi m'avez-vous menti ?

— Bon sang, de quoi parles-tu ?

— Je parle de Tikyo !

— Quoi, il est toujours vivant ?

— Cela semble ne pas vous arranger…

— Mais c'est impossible !

— Vous faut-il une preuve ?

— Si tu dis vrai, ce serait tout simplement extraordinaire !

— Je me permets de vous rappeler que rien n'est ordinaire depuis que je vous fréquente !

— Quand même, voilà exactement cinq jours que la fosse de Tikyo a été comblée, en plus de tout ce temps qu'il a passé hors délai !

— Merci de reconnaître spontanément vos crimes. Maintenant que cela est bien clair, s'il reste une seule raison de continuer à vous faire confiance, de ne pas rentrer sur-le-champ, donnez-la-moi. Je vous écoute !

– Euh, Alain, ne nous égarons pas. Ce qui s'est passé avec Tikyo est regrettable et je suis le premier à en être mortifié.

– Certainement, mais ce n'est pas ce qui vous a empêché de saisir la première occasion pour précipiter quelqu'un d'autre dans l'inconnu !

– Sauf qu'avec toi j'ai pris une précaution supplémentaire. La première expérience, qui a échoué, a au moins eu le mérite de nous rassurer sur le fait que Jam-Libe avait bel et bien existé. Puisqu'il était à notre portée et qu'il nous restait assez de jours pour tenter un dernier essai, un tel échec se devait d'être rattrapé. C'est pourquoi en te choisissant j'ai tenu compte d'un facteur décisif que j'avais eu la maladresse de négliger avec Tikyo : le ressort sentimental. Conviens qu'avec tes charmantes jumelles, dont j'ai vu les photos dans ton salon, tu offres un profil autrement intéressant que celui de mon petit-fils. J'ai pensé que tu seras moins enclin à philosopher et plus soucieux de revenir retrouver tes filles. Et puis ne viens surtout pas me reprocher de t'avoir caché la vérité au sujet de Tikyo, parce que tu n'aurais certainement jamais accepté de partir si tu avais vu une première fosse contenant le corps d'une personne restée en souffrance au XVIIIe siècle !

– On dirait du chantage ! Monsieur Jean-Paul Ada, vous êtes un homme sans cœur qui n'a d'égards que pour ses idées !

– J'avoue que ça me navre que tu me parles ainsi, moi qui t'ai laissé la vie sauve alors que tu essayais de me tuer, moi qui n'ai encore rien tenté contre ta grand-mère Mispa qui est pourtant coupable d'avoir parlé. Des idées j'en ai et de curieuses, certes. Mais, dis-moi, à quoi ça m'avance à mon âge de vouloir à tout prix rééquilibrer un monde où je ne vivrai pas, hein ? Tu sais, je n'en veux pas à Tikyo d'avoir retrouvé l'Afrique de ses rêves et d'avoir décidé d'y rester, mais il y a les autres aussi. A défaut de pouvoir tous les ramener en arrière pour un nouveau départ, on pourrait au moins leur donner les moyens de prémunir les prochaines générations de tout formatage néfaste. Mon ami Ndame et moi croyons profondément au succès de cette démarche et tu es notre dernière chance de prouver que ce n'est pas un fantasme. En même temps je comprends ta colère, si cette mission ne te sied plus tu es libre de rentrer maintenant. Tant pis, j'assumerais personnellement cet autre échec et je m'engage déjà à ne te poursuivre d'aucune persécution.

– Hmm… Bon, je continue la mission. Seulement, j'ai une requête.

– Je t'écoute.

– Déterrez le corps de Tikyo et mettez-le dans des conditions idéales de conservation. Cela pourrait peut-être lui valoir un jour de plus ici. Je vous assure que ce n'est pas rien pour lui, voire pour moi.

– Ce sera fait cette nuit même, mais je ne donne pas de garantie sur la qualité de sa dépouille.

– Pourquoi parler de dépouille, puisque je vous dis qu'il n'est pas encore mort !

– Dans ce cas, ramène-le-moi.

– Est-ce possible ?

– Oui, il te suffira de le retenir fermement contre toi au moment de déclencher ton processus de retour. S'il est toujours vivant il rejoindra son vrai corps. Nous n'avons pas suffisamment étudié les conséquences qui pourraient découler des activités pérennes d'un homme dans une époque qui n'est pas la sienne. S'il arrivait par exemple que Tikyo engrosse une femme là-bas avant de mourir, ce pourrait être désastreux. Et cela vaut aussi pour toi.

– Ah...

– Maintenant que tout est rentré dans l'ordre et que la confiance règne, quid de Jam-Libe ?

– Nous en parlerons prochainement. Je pense avoir trouvé quelque chose et j'ai l'intention d'aller le voir cette nuit pour une discussion sérieuse entre *ewusus*.

*
* *

Le moment était venu de prendre le taureau par les cornes. Juste après l'échange avec Ada, je coupai à travers bosquets pour me rendre à la case de Jam-Libe. Il y régnait un calme de tombe. J'avais appris que Jam-Libe convoitait une fille du clan Log-Mangan, dont le village se trouvait à une demi-journée de marche, et qu'il y allait parfois déposer du gibier. Comme je ne l'avais pas vu à la palabre, je craignais qu'il y soit allé. Bien sûr je pouvais plonger vers sa case et m'introduire pour une vérification, mais ma dernière expérience dans celle de Ada m'avait dégoûté des antres des *ewusus* d'envergure. Et Jam-Libe, sous ses airs débonnaires, était un *ewusu* de classe exceptionnelle. Le plus évolué depuis des siècles, s'il fallait en croire Ndame qui avait une bonne connaissance de l'histoire des peuples de la nuit. Violer son intimité, même en son absence, pouvait le mettre en colère et pour rien au monde je ne voulais risquer une telle chose. C'était déjà bien de savoir que dans son cercle familial proche, qui comptait une grand-mère, deux oncles avec femmes et enfants, et cinq frères et sœurs, il était le seul *ewusu*. Je commençais d'ailleurs à me rendre compte que ce village n'était pas assez doté en personnel de nuit. Depuis deux nuits je n'avais encore rencontré aucune brigade, chose inimaginable dans notre monde moderne où dans les villages presque chaque maison abrite un impitoyable sorcier. La sorcellerie avait dû se vulgariser au fil des siècles, comme l'Etat et l'Eglise, en mettant de préférence l'accent sur le côté répressif. C'est vrai que je n'avais pas encore été inquiété en deux nuits de vadrouille en territoire étranger, mais cela ne voulait pas dire que le village So-Maboye de 1705 était une espèce de Cour des Miracles où le premier quidam venu pouvait dicter sa loi. Il importait de rester sur ses gardes, car si la quantité d'*ewusus* au mètre carré laissait à désirer, le village de Jam-Libe se rattrapait sur la qualité. Preuve m'en fut donnée au moment où, las d'attendre, je voulus bondir de ma branche pour aller me mettre à couvert. A ma grande surprise mon impulsion resta sans effet. J'essayai encore, sans plus de succès. Je dus me rendre à l'évidence : le maître des lieux était présent et il venait de me scotcher sur ma branche. J'étais immobilisé au moyen du même type d'entrave qui avait servi à capturer l'antilope. Un frémissement de feuillage plus tard, Jam-Libe prit place sur la branche à côté de moi.

— *Sango* Nsona, m'interpella-t-il avec une courtoisie très suspecte, le moment est venu de faire vraiment connaissance.

— C'est aussi ce que je pense, répondis-je calmement. Voilà pourquoi je suis venu te montrer mon vrai visage.

— Louable intention, mais je savais déjà que tu n'es pas un ingénu. Car on t'a vu hier dans la nuit aller vers la rivière.

— Oui, j'y étais aussi cette nuit et j'en reviens. Chaque nuit j'ai besoin d'aller invoquer mes aïeux pour qu'ils guident mes pas et m'aident à remplir ma mission.

— Et quelle est-elle, cette mission ?

— Je suis en quête d'initiation. Je veux apprendre à être un homme afin de pouvoir retourner dignement parmi les miens pour aider à l'évolution de mon village.

— Moi, je n'ai rien contre les étrangers tant qu'ils sont tranquilles. D'ailleurs je vais moi-même régulièrement chez les Log-Mangan de jour et de nuit. Mais quand dans un village on recueille deux inconnus en moins d'une lunaison et que les deux se révèlent être des *ewusus*, je commence à me poser des questions. Les défunts ancêtres usent souvent de beaucoup de moyens détournés pour nous parler, c'est à nous de savoir capter leurs messages. Alors je te regarde. Je te regarde et je me demande de quel présage tu es porteur pour mon clan. Pour qu'on gagne du temps, peux-tu me le dire toi-même ?

— Je voudrais bien, mais en réalité ce n'est pas à moi d'interpréter les messages de tes ancêtres, parce que je pourrais tenter de te tromper si cela m'arrange. En revanche, je sais parfaitement lire les recommandations de mes ancêtres à moi, et tout à l'heure pendant que je les invoquais au bord de la rivière ils m'ont conseillé de devenir ton élève afin d'apprendre à faire des pièges comme toi. C'est pourquoi je me suis permis d'entrer dans ta zone pour venir t'attendre ici.

— C'est tes ancêtres qui t'ont recommandé ça ?

— Oui, ils sont persuadés que rien qu'avec ta technique de piégeage des antilopes, je pourrais non seulement reconquérir l'estime des miens, mais aussi garantir à manger pour tout mon village pendant longtemps.

— Tes ancêtres ont dû aussi parler aux miens, car la première fois que je t'ai vu j'ai ressenti la nécessité de t'apprendre à chasser. Mon cœur ne cessait de me dire que c'était vital pour toi, pour que tu puisses être bien vu des tiens si un jour tu décidais de rentrer. Quand mon cœur parle, j'obéis. Seulement, tu ne m'as pas du tout semblé enchanté quand nous étions dans la forêt.

217

– J'étais encore fatigué par ces longues journées de marche et de jeûne qui m'ont conduit jusqu'ici. Si je me repose bien cette nuit encore, demain je serai prêt à te suivre partout où tu voudras.

– Puisque tu le désires enfin toi-même, je te montrerai le secret de mes nœuds. Tu pourras attraper n'importe quel gibier de la forêt et fournir de la viande pour tous dans ton village.

– Je te remercie déjà au nom de ceux de mon clan qui mangeront grâce à toi. Demain au lever du jour je serai devant ta case pour le début de l'initiation.

– Non, nous commencerons plus tard parce que j'ai des choses importantes à faire avant. Tu sais que c'est demain qu'on doit aller chercher la fille que Makon épousera. J'ai plaidé pour qu'on m'ajoute dans la délégation qui doit se rendre dans la belle-famille, et les notables ont accédé à ma demande. Cela me permettra de m'imprégner du comportement à adopter pendant une palabre de mariage, car moi aussi j'ai des projets. Ensuite, j'ai promis à ma grand-mère qu'au lendemain de la cérémonie j'irai lui ramasser des mangues sauvages sur la colline Ndik-ba. Quand je lui apporte des mangues sauvages, elle laisse d'abord les enfants consommer les fruits, puis elle casse les noyaux pour récupérer les amandes avec lesquelles elle assaisonne le rat palmiste boucané.

– Je pourrais t'accompagner ramasser les mangues sauvages. A deux nous porterons beaucoup plus de fruits et ta grand-mère pourra ainsi faire des provisions d'amandes. Qu'en dis-tu ?

– C'est une bonne idée. Cela nous permettra de discuter technique en marchant. Comme pendant les deux prochains jours je n'aurai pas le temps d'aller visiter mes pièges, je les ai désactivés cette nuit pour qu'un animal ne meure pas pour rien. C'est d'ailleurs de là-bas que je reviens… Maintenant je vais te délivrer, j'espère que tu ne m'en veux pas. Il fallait que je te neutralise avant toute causerie, parce que, avec les *ewusus* d'aujourd'hui, on ne sait jamais.

*
* *

Les tambours étaient de sortie ce soir. Il ferait encore jour une bonne heure au moins. En compagnie de Tikyo et d'autres jeunes gens du village, j'avais bordé la piste principale de palmes et nous avions aussi construit un hangar pour les mariés, que des enfants avaient eu le devoir d'inonder de fleurs. Précédant les mariés et le cortège des accompagnateurs, un éclaireur avait ramené au village toutes les informations sur la réception qui avait été donnée par la belle-famille : en dehors de la chèvre habituelle accommodée à la sauce *mbongo*, les beaux-parents avaient servi un plat de tortue accompagné de petits taros enduits d'huile de palme. A So-Maboye des chèvres et des poulets avaient été égorgés, des œufs de cane avaient été enrobés de pâte de pistache et bouillis dans un emballage de feuilles de bananier. En guise de plat spécial on avait préparé un ragoût de morceaux de boa et de plantains encore verts. Des palmiers avaient été abattus pour quadrupler la production de vin de palme. L'arbre à palabre avait reçu un sérieux renfort de pièces de bois, de sorte que, même si la délégation de la belle-famille montait à cent personnes, tout le monde pourrait s'asseoir au moins sur une fesse. Il ne manquait plus que les mariés.

En attendant, les tambours et le tam-tam résonnaient, les danseurs s'échauffaient, et moi je les dévorais des yeux. Ils évoluaient en cercle autour d'un leader, tous en tenue de gala faite de longues lanières de peaux d'antilope retenues par une ceinture ornée de coquilles d'escargots, le torse et le dos nus barrés de colliers entre-mêlés, les avant-bras ceints de brassards en peaux, la tête coiffée d'un chapeau de paille piqueté de plumes de calao. Ils avaient aussi des grelots attachés aux chevilles, qui tintinnabulaient au rythme du jeu de jambes. Tikyo m'abandonna un instant et s'en fut se planter au centre du cercle des danseurs. Il commença par jouer élégam-ment des épaules puis, faisant trembloter tout son corps en tourbillonnant, il démontra sous les applaudissements des autres danseurs qu'il avait de la culture. Il termina son numéro en faisant d'un geste sec semblant d'attraper un moustique au-dessus de la tête d'un danseur longi-ligne, qui le remplaça immédiatement au centre. Dégou-linant de sueur, il revint près de moi et me demanda :

— Alors, comment tu m'as trouvé ?

– Exceptionnel ! Où as-tu appris cette danse ?

– Dans mon village, dont je t'avais parlé hier. Cette danse s'appelle le *makounè* et elle s'est parfaitement transmise. On la pratique toujours en 2011 dans certains rassemblements culturels, à la seule différence que les danseurs du XXI⁰ siècle portent un tee-shirt en coton et se nouent un pagne à la taille.

– Y a-t-il le moindre pagne dans ce village-ci, en as-tu vu depuis que tu es là ?

– Je n'en ai pas vu moi-même, mais on m'a dit que le doyen Ngué en a un qu'il ne porte pratiquement jamais tellement il est précieux. Ce pagne doit provenir de lointaines tribus de tisserands, il a dû échouer ici à la suite d'un jeu compliqué de trocs et il finira sans doute mangé aux mites dans un coin de la case du brave vieux.

– Dommage.

– Viens, allons nous asseoir sous cet avocatier, que je puisse reprendre mon souffle. Ce petit tour de danse m'a fatigué, moi qui pouvais danser le *makounè* pendant toute une nuit ! Je ne voudrais pas t'alarmer, mais il faut que tu saches que je vais de moins en moins bien.

– Tiens bon, je suis persuadé que d'ici quelques heures tu te sentiras beaucoup mieux.

– Et pourquoi en es-tu persuadé ?

– Heu… j'ai demandé que l'on déterre ton corps, je me suis dit que ça pourrait t'être bénéfique.

– Ah, je vois. Tu te préoccupes de mon sort…

– N'es-tu pas mon principal allié dans ce monde virtuel ?

– Cher allié, je vais donc te le redire plus calmement : je ne bougerai pas de ce village, et je ne retournerai pas en 2011. Je respecte les engagements qui sont les tiens, mais sache que si tu t'amuses à tenter quoi que ce soit contre moi je me verrai obligé de parler. J'ignore si tu sais comment fonctionnent les villages, mais je t'assure que dès que j'aurai ouvert la bouche tu te retrouveras pourchassé dans les cinq minutes par toute cette contrée de chasseurs. Il te reviendra alors de leur expliquer, s'ils t'en laissent le temps, pourquoi tu as le prépuce coupé. Bien sûr, moi-même je serais mal parti en cas de grabuge, et ça m'attristerait de devoir perdre un ou deux jours supplémentaires de belle vie…

– Ça va, j'ai compris. Je renonce à te ramener.

– J'ai toujours su que tu étais un homme sage, et ce dès le premier jour.

– On m'a en outre chargé de te rappeler la nécessité de ne pas procréer ici, ni d'entreprendre d'œuvre durable.

– Pour ce qui est des œuvres matérielles, qu'on se rassure, je ne créerai rien ici. Je me contente de vivre et c'est déjà captivant. Quant au reste, je confesse que je suis bien en peine de donner le moindre gage dans ce coin de brousse où même en 2011 on continue de regarder la contraception comme du snobisme. Si encore on pouvait tabler sur la froideur des femmes de ce village… Au moins tu devrais aisément me comprendre, toi que j'ai vu hier dans un buisson.

– Que le ciel nous garde !

– Sur ces bonnes paroles, rentrons au bord de la piste renforcer le comité d'accueil. J'entends des youyous qui se précisent, les mariés vont bientôt faire leur entrée.

En effet, le cortège nuptial arriva dans un tintamarre de chants et de cris de joie. On l'arrêta un moment à l'entrée du village où les danseurs déchaînés semblaient maintenant possédés par le roulement du tam-tam. Le marié portait un cache-sexe tout neuf et même une courte jaquette assortie qui mettait en évidence des biceps saillants. La mariée était pimpante. Elle avait les seins couverts d'une fibre végétale qui ressemblait à celle que l'on recueille en élaguant les troncs de palmiers. Ses cheveux étaient taillés courts comme ceux d'un jeune garçon, son cou bardé de colliers, ses bras surchargés de bracelets, et elle portait deux grosses boucles de bois aux oreilles. Elle répondait à toutes les attentions par un sourire juvénile qui lui creusait des fossettes aux joues. Pour bien indiquer qu'elle ne venait pas à moitié, elle eut la bonne idée de courir se mêler aux danseurs et c'est sous les applaudissements des notables des deux clans qu'elle exécuta un roulement de reins qui rassura tout le monde sur ses dispositions physiques.

« *i balè me kè bé libii ndog-nkeng, ki mè woooo…* », entonnèrent des femmes en jouant de leurs mains sur la bouche pour lancer de vibrants youyous. Puis les mariés suivis de l'ensemble des accompagnateurs se dirigèrent vers les deux cases nouvellement bâties, en passant par une haie d'honneur faite de toutes les filles pubères du village. Ngo-Minka, celle qui m'avait offert des silures, fit montre d'expérience en allant se placer en fin de haie pour exhiber son importante poitrine. Il faut dire que la délégation de la belle-famille était truffée d'hommes au regard lubrique qui ne demandaient qu'à renforcer davantage les liens d'amitié entre les deux villages. Une fois devant les cases, le doyen Ngué étendit ses deux mains et, de son style le plus empanaché, dit à la mariée :

— Femme, voici ta maison. Juste là à côté c'est ta cuisine, où le feu ne doit jamais s'éteindre. Désormais tu es chez toi dans ce village. Voici ta houe, voilà ton mortier, et là c'est ta pierre à écraser. A partir de mainte-nant tous les hommes et les enfants de ce clan sont les tiens, qu'il y ait toujours dans cette concession un morceau de manioc pour chacun. Ce beau garçon qui s'appelle Makon, dont tu as accepté d'être la première épouse, sera toujours à tes côtés. Vous avez là-dedans un solide lit en bambou qui est tout neuf. Je sais que Makon sait quel est son devoir à compter de cette nuit, mais si jamais il s'amuse à dormir réveille-le ! D'ailleurs personne ici ne doute que tu as beaucoup de bébés dans ton ventre, comme toutes celles de ton clan qui t'ont précédée dans ce village. Toi, ton mari, les enfants qui naîtront et peut-être les autres femmes qui suivront, vous formerez une maisonnée qui ne parlera en public que d'une seule voix : celle de ton mari. A cet égard tu lui réserveras à lui et à personne d'autre les gésiers de tous les poulets qui seront préparés ici. Maintenant, je vais traverser la porte et bénir votre demeure.

224

Le doyen Ngué cracha deux fois sur son chasse-mouche, puis il fouetta l'air de plusieurs coups au niveau de l'embrasure de la porte en répétant :

« *Que ça entre uniquement,*
Que ça ne sorte jamais. »

Ce geste symbolique reçut en écho une clameur de joie dans toute la cour, et les gens se déplacèrent vers l'arbre à palabre pour le festin.

Les notables de la belle-famille prouvèrent très rapidement qu'ils n'avaient rien à envier à ceux de So-Maboye. Le ragoût de morceaux de boa aux plantains verts fut achevé avant même qu'on ne leur souhaite le bon appétit, et ils se jetèrent avec le reste du village sur les gigots de chèvres en gardant un œil sur les cuisses de poulets. Comme il y avait parmi eux quelqu'un de plus âgé que le doyen Ngué, on dut improviser une palabre pour s'entendre sur le critère qui devait prévaloir à la consommation des gésiers : la loi du domicile l'emporta sur le droit d'aînesse. Pendant que des quartiers de noix de cola circulaient de main en main, je me sauvai discrètement. La nuit était déjà bien entamée, il fallait me dépêcher si je voulais avoir un dernier contact verbal avec Ada et Ndame. Aussitôt transformé en *ewusu* je courus m'allonger à l'endroit habituel :

– Nsona, tu refais enfin signe !

– Rassurez-vous, je n'ai pas l'intention de vous plaquer comme Tikyo.

– Nous n'en doutons plus. A propos, comment va ce dernier ?

– Il montre de plus en plus de signes d'essoufflement.

– Il est d'une résistance prodigieuse, mais il ne tiendra plus longtemps.

– J'ai eu une conversation des plus franches avec lui, et je vous conseillerais d'abandonner définitivement toute idée de retour en ce qui le concerne.

– C'est bien ce que nous avions fait ! Si tu n'étais pas venu égrener un chapelet d'émotions, il serait encore enseveli au fond de sa fosse à l'heure actuelle. Nous avons accédé à ta prière en déterrant son corps, qui repose maintenant dans la même fosse que le tien. Il faut quand même dire qu'il n'a plus fière allure…

– Ne m'en dites pas plus !

– Puisque tu ne t'y opposes plus, nous allons donc le remettre dans sa fosse et lui donner une sépulture définitive.

– Ne pourrait-on pas plutôt remettre le corps de Tikyo à sa mère ?

– Si tu veux t'en charger quand tu reviendras, nous pouvons te le conserver au frais.

– Voyons ! Que dirai-je à cette pauvre femme ?

– Cette pauvre femme est ma propre fille, elle s'appelle Françoise…

– Ce qui me gêne, c'est que sans corps elle risque fort de ne pas avoir l'acte de décès de son fils, donc de perdre une certaine prime d'assurance qui lui revient.

– Comment peux-tu nous trimbaler de la sorte pour un banal acte de décès ! Comme s'il y avait quelque chose de plus facile à acheter dans nos mairies. Nsona, laisse-nous donc gérer les petits détails funèbres et occupe-toi uniquement de nous obtenir le code de la dématérialisation. Justement, y a-t-il des informations fraîches sur le sujet ?

— Jam-Libe a accepté de me livrer son secret.

— Mais il fallait le dire plus tôt, bon sang ! Rentre immédiatement pour que…

— Mais non, vous m'avez mal compris, il ne m'a encore rien montré ! Aujourd'hui il a passé toute la journée à escorter un cousin à lui qui se mariait, parce qu'il a lui aussi des projets de mariage. Demain nous irons ramasser des mangues sauvages sur la colline Ndik-ba et ce n'est qu'à partir d'après-demain que pourra commencer mon initiation.

— Nsona, te rends-tu bien compte que ce garçon-là peut mourir d'un moment à l'autre ?

— Oui, et c'est pourquoi je lui ai proposé de l'accompagner sur la colline. Mais la nuit dernière j'ai appris à mes dépens qu'il n'était pas judicieux de le bousculer. Sans le moindre éclat il m'a montré quel *ewusu* il était en me ligotant sur une branche d'arbre comme un épouvantail.

— Je te l'avais dit, c'est un *ewusu* de haute volée. Tu as intérêt à rester toujours sur tes gardes pour qu'il ne se retourne jamais contre toi.

— Je devrais pouvoir y arriver, parce qu'il m'a à la bonne. J'ai plutôt besoin d'informations complémentaires sur les circonstances de sa mort. En avez-vous ?

– Franchement, non. Tout ce qu'on sait c'est qu'il ne verra pas la fin de cette saison des mangues sauvages, qui semble avoir déjà commencé là-bas.

– Pour moi qui le côtoie ici, je confesse que c'est perturbant de regarder ce jeune homme plein de vie en sachant qu'il est sur le point de mourir. C'est même carrément abominable.

– C'est compréhensible, mais ce n'est pas le moment de se désunir. Reste focalisé sur ton objectif. Et puis il y a une chose importante qu'on avait oublié de te dire, mais que tu devrais peut-être déjà avoir remarquée : tu n'as…

La communication fut coupée. J'appelai une, deux, trois fois… Je ne reçus dans les oreilles que le bruit des grillons. Minuit venait sans doute de passer, me basculant dans mon quatrième jour de présence en l'an 1705. Désormais, j'étais totalement coupé du monde réel.

*
* *

Jam-Libe fut ponctuel au rendez-vous, moi aussi. Il me tendit un gros panier d'osier, se posa le sien sur la tête et nous entrâmes dans la forêt en direction de la colline Ndik-ba. Il marchait devant en parlant. Je le suivais, sur le qui-vive, concentré en même temps sur ses dires et sur les bruits environnants. Je m'étais déjà posé mille questions, une seule issue m'apparaissait probable pour qu'un homme resplendissant de santé comme Jam-Libe vînt à s'éteindre subitement : un accident. Quand ?

Où ? La forêt me semblait le théâtre le plus crédible pour une tragédie de ce genre. C'est pourquoi j'étais tendu. Un petit insecte fusa à côté de mon oreille et je ressentis son bourdonnement comme une déflagration, manquant de peu de bondir sur Jam-Libe pour le plaquer au sol. Je me rendis vite compte du risque de dérapage et appliquai une fois de plus ma technique habituelle de relaxation : inspiration, expiration… Ce n'était pas possible de venir échouer si près du but ! Je refusais d'envisager un cas de guigne venant m'enlever le chasseur alors que j'étais à deux doigts du secret de la dématérialisation des objets. Et Jam-Libe qui ne faisait que parler de mariage au lieu de me parler de chasse. J'hésitais à lui couper la parole, à pousser la conversation sur ses nœuds invisibles. Ces nœuds qui parvenaient à abuser même les animaux, dont on dit pourtant qu'ils ne sont jamais dupes. Comme Jam-Libe avait pu obtenir un tel résultat, alors sa technique, une fois récupérée et traduite en équations mathématiques ou chimiques, allait sans contredit chambouler la science et même le monde. Une telle contribution au bénéfice de toute l'humanité allait remettre l'Afrique au moins sur le piédestal des pharaons. En attendant, le détenteur de la clé de ce paradis marchait à deux pas de moi, avec peut-être une grosse branche d'okoumé en instabilité au-dessus de sa tête, donc de la mienne aussi…

Je retrouvai enfin une respiration normale quand, au sortir d'une caverne qu'il venait de me faire visiter, Jam-Libe se mit sans crier gare à parler chasse et animaux.

Très patiemment, je le laissai évoquer ses premiers souvenirs, quand, me dit-il, lors d'un rituel destiné à lui porter chance, son père mangea cru le foie du premier porc-épic qu'il avait attrapé alors qu'il n'avait que huit grandes saisons de pluie derrière lui. Il me confia en passant que depuis la mort de son père il enterrait toujours le foie de chaque porc-épic qu'il prenait dans ses pièges, pour que le vénérable disparu continue à les manger. Puis il développa toute une thèse sur ce rongeur, m'apprenant entre autres que c'était l'animal le plus répandu de la forêt de So-Maboye, un animal qui n'hésitait pas à ronger et à couper sa propre patte quand elle était prise dans certains types de pièges, qu'il lui était d'ailleurs arrivé d'attraper des porcs-épics à trois pattes, que mort le porc-épic pouvait durer deux jours à l'air libre sans se décomposer, qu'il avait dans son ventre une petite membrane qui pouvait rendre toute la viande et même la sauce amères si on ne la décollait pas avant la cuisson.

— Je suis tellement calé en porc-épic que quand j'en parle je ne tolérerais de contradiction que d'un porc-épic, ajouta-t-il avec beaucoup de sérieux.

Je le crus. Il embraya sur la biche. Il me révéla que la biche ne suivait pas de piste précise dans la forêt comme le porc-épic, ce qui rendait son piégeage difficile. Il m'informa que dans le village un apprenti pouvait prendre autant de rats palmistes et de porcs-épics qu'il voulait, il n'était considéré comme chasseur qu'à partir du jour où il attrapait sa première biche. Il parla de

230

quantité d'animaux en insistant sur le trait particulier de chaque espèce, trait dont il fallait tenir compte pour déterminer le type de piège à poser. Même les serpents furent disséqués dans son exposé, avec un accent particulier sur la vipère, que les non-initiés et les femmes n'ont pas le droit de manger. Au moment où il commençait à me parler des animaux de prestige comme les phacochères et les grandes antilopes, je perçus une forte odeur de fruit, et c'est ma mémoire olfactive qui me signala que nous étions arrivés au sommet de la colline Ndik-ba. Je reniflai bruyamment, ravi d'avoir cette fois la possibilité de suivre la délicieuse odeur jusqu'à sa source. Nous fûmes bientôt au pied d'un manguier sauvage.

C'était un gros arbre avec des branches tellement longues et hautes qu'au lieu de considérer la quantité impressionnante de fruits qui y étaient suspendus, je commençai par m'inquiéter de ce qui pouvait arriver si l'une de ces branches se brisait et plongeait dans le vide avec nous deux en dessous. Jam-Libe n'avait pas ce genre de préoccupation, il avait déjà commencé à faire des tas de mangues et en avait même une dans la bouche. En effet le sol était jonché de fruits. Certains avaient commencé à se gâter, d'autres présentaient des traces de morsures d'animaux, mais pour la plupart ils étaient d'excellente qualité. Une mangue grosse comme une tête d'enfant se détacha de loin et vint lourdement s'échouer à un centimètre de moi, me faisant sursauter. Je regardai Jam-Libe : il me tournait le dos, courbé à la recherche des fruits bien conservés. Sa nuque était en évidence, s'il encaissait une mangue du calibre de celle qui venait de m'effrayer cela pouvait causer des dégâts... Une autre mangue tomba plus loin. Cet endroit était dangereux. Comme si de rien n'était, Jam-Libe reprit son exposé de chasse. En lançant des mangues isolées sur un tas, il me dit que si, pour les animaux tels que le porc-épic, la biche et le pangolin, il préparait les nœuds de ses pièges très normalement en journée, c'était plutôt dans la nuit qu'il travaillait quand il était question des animaux de prestige. Une mangue tomba à un pas de lui, m'arrachant un cri. Voyant l'inquiétude sur mon visage il éclata de rire, ramassa le fruit et me le lança en se moquant de moi. Je fis mine de rigoler et accélérai le ramassage. Je n'étais plus seulement inquiet, j'avais peur. Il fallait remplir nos deux paniers et déguerpir en vitesse de cet endroit. Jam-Libe m'annonça que dès demain il comptait me faire poser un piège à porc-épic dans la journée, et un piège à antilope dans la nuit. Deux mangues tombèrent en même temps assez loin de nous. Jam-Libe se précipita pour les ramasser, puisque les plus récentes étaient les meilleures. Je le suivis de près en gardant les yeux vers la cime, prêt à plonger. C'est ainsi que nous réussîmes à remplir nos paniers de juteuses mangues sauvages. Mais au lieu de quitter immédiatement les abords de cet arbre menaçant, Jam-Libe s'assit encore par terre pour sucer trois dernières mangues, à mon désarroi que je m'efforçais de ne pas montrer. Il prit tout son temps, me prévenant entre chaque bouchée que si je ne prenais pas un porc-épic en deux jours de chasse avec lui, je serais mal vu dans tout le village. Je dus choisir de mordre dans une mangue, succulente au demeurant, pour me distraire un peu et ne pas montrer plus ostensiblement mon impatience. Les mangues continuaient à tomber autour de nous. Avant de croquer sa dernière mangue, Jam-Libe m'avisa que pour ma première grande antilope il ne m'accordait pas plus de cinq jours. Il se leva, promena un regard admiratif sur les mangues restées accrochées sur l'arbre, projeta son dernier noyau dans un feuillage touffu et se rapprocha enfin de son panier. Je me précipitai, l'aidai à placer la charge sur sa tête et, d'une main, il fit pareil pour moi. Quand nous fûmes sortis indemnes de ce périmètre miné de mangues agressives, je me mis à siffloter une rengaine. Mais un accès de prudence me força à abréger ma chanson parce que c'était un air des Rolling Stones, chose qui ne cadrait absolument pas avec l'époque.

C'est avec un immense soulagement que je revis le village. La tension nerveuse que j'avais emmagasinée m'avait presque abruti et je ne rêvais pour le moment que de m'étaler quelque part. Nous allâmes décharger nos paniers de mangues chez la grand-mère de Jam-Libe, elle était derrière sa cuisine en pleine cueillette de persil sauvage. Elle fut bientôt rejointe par une voisine, et une discussion éclata entre elles. Les deux femmes se considéraient comme coépouses parce qu'elles étaient arrivées presque simultanément dans le village quand elles étaient toutes jeunes, pour épouser deux frères. Précédemment elles avaient mis ensemble une chèvre et un bouc et comme la chèvre venait d'avoir une portée de trois cabris, elles n'arrivaient pas à se mettre d'accord sur celle qui prendrait une bête de plus. Pendant qu'elles rivalisaient bruyamment d'arguments, un adolescent sortit d'une case en tenant une canne à pêche. Jam-Libe l'interpella et de l'index lui ordonna de s'approcher.

— Salue-le, me dit-il. Il s'appelle Mbous-Ngouo. C'est mon petit frère, même père, même mère.

Je secouai la main du garçon et son aîné lui dit :

— Mbous-Ngouo, dépêche-toi d'aller chez les Nliba me cueillir deux citrons. Regarde, je crache par terre : tu dois être de retour avant que mon crachat ne sèche, sinon tu vas voir.

Le petit posa sa canne à pêche contre un mur et détala. La querelle des vieilles voisines se prolongea encore un peu et finalement il fut convenu de soumettre le partage des cabris à la prochaine palabre. Sur ces entrefaites arriva mon hôte Ngambi qui s'empara d'une mangue avant de saluer quiconque. Il avait l'air bougon.

— Je viens de buter contre une pierre en montant ici, dit-il en exhibant un gros orteil écorché. Ça signifie qu'il y a des gens qui sont en train de me calomnier quelque part dans ce village.

— Et que pourrait-il y avoir à dire sur toi ? lui demanda la grand-mère de Jam-Libe avec une candeur douteuse.

– Il y a des longues langues qui prétendent que je suis paresseux, que je n'ai pas de champ, et que j'attends tous les soirs la palabre pour manger. Moi, Ngambi ! En tout cas les gens peuvent parler, mais je sais que tout le monde sera ébahi quand on lancera les travaux des prochains champs. Je débroussaillerai une parcelle si vaste que placé à un bout de mon champ il ne sera pas possible de voir l'autre bout. On verra alors de qui on dira encore qu'il est paresseux. Trop c'est trop, il est temps que je montre à toute la population de So-Maboye que ce n'est pas parce que je suis penché que la chute est proche.

Le petit Mbous-Ngouo revint en courant et remit les citrons à son aîné. Après avoir vérifié que le crachat-chronomètre n'était pas encore sec, il se saisit de sa canne à pêche et fila vers la rivière. Ngambi jeta le noyau de sa première mangue et s'avança pour en prendre une deuxième, mais l'intrépide grand-mère le stoppa d'un geste ferme.

– Hé, femme, grogna-t-il. C'est à moi que tu refuses des choses comme ça qui dorment toutes seules dans la forêt ? Tu dois sans doute être de ceux qui me calomnient, mais tu seras également confondue.

– Le jour où tu te marieras, là nous serons vraiment tous confondus.

– Quand tu me regardes bien, est-ce que je ressemble à quelqu'un qui peut mourir sans s'être marié ?

– Non.

— Et alors ! Pourquoi me casse-t-on les oreilles ? Je suis même sûr qu'il y a des gens dans ce village qui ont attaché des herbes derrière leur case pour que je ne me marie jamais. Mais ils seront déçus.

— Toi ce Ngambi, tu aimes trop faire des promesses en cou de girafe… Bon, prends deux mangues et pas une de plus. Je ne tiens pas à ce que tu ailles me jeter en pâture dans votre palabre où les femmes n'ont jamais gain de cause.

— Il y a des dons tardifs qui ressemblent à de l'avarice. J'accepte quand même tes mangues parce que c'est Jam-Libe et mon ami Nsona qui sont allés les porter… Justement, Nsona, il y a Tikyo qui te cherchait partout. Il doit être actuellement en train de se baigner dans la Libanga, si tu veux le rejoindre.

Ma fatigue s'envola d'un coup et je courus vers la rivière. Arrivé sous la voûte des hauts bambous je me rendis compte que j'étais discrètement poursuivi par Ngo-Minka, qui n'entendait plus me laisser de répit. Elle me barra la route et se débarrassa de sa jupe. La lingerie n'avait pas encore été découverte dans cette brousse, la pudeur non plus. Tourmenté en même temps par les mises en garde que j'avais reçues, le spectacle que j'avais sous les yeux et la crainte d'être découvert, je sus trouver les mots justes pour la calmer et elle ne consentit à se rhabiller qu'après m'avoir arraché la promesse de m'occuper d'elle avant la palabre du soir. Prévenante, elle m'indiqua le buisson où elle irait m'attendre. Puis elle me mangea tellement des yeux que je crus qu'elle allait changer d'avis et se dénuder de nouveau, mais elle finit par s'écarter et je descendis vers la rivière.

Tikyo était assis sur une pierre, les pieds dans l'eau. Il me tournait le dos, un peu de profil, et regardait des ouistitis traverser la rivière par les airs en sautant d'une branche à l'autre. Je pouvais voir l'expression de son visage et ce n'était pas du désespoir qui se lisait sur ses traits. Sur l'autre rive, il y avait le petit Mbous-Ngouo qui fouillait dans la boue à la recherche de vers de terre. Reportant mon attention sur Tikyo, je restai coi un moment, puis émis un raclement de gorge.

— Ah, Nsona, viens t'asseoir, qu'on se délecte ensemble de ce cirque.

— Depuis combien d'heures es-tu assis là, à rêvasser, tu ne t'es même pas encore lavé !

— Bof, un bain de plus ou de moins… Tiens, regarde celui-là, ce doit être le chef de bande. Il est assis et je suis sûr qu'il va attendre que tous les autres aient sauté.

— Après tout ce que Jam-Libe m'a enfoncé dans le crâne aujourd'hui, je pense avoir eu plus que ma dose de zoologie. Inutile de m'en rajouter.

— Alors, comment ça a marché dans la forêt ?

— Si tout se passe bien, demain dans la nuit je serai en possession du secret tant convoité.

— Dommage, je pensais que tu allais m'annoncer que tout est déjà fait. J'aimerais tant partir en sachant que tu as réussi !

— Encore un peu de patience, dans deux jours tout sera terminé et je serai à Yaoundé entouré de mes jumelles. Tu ne m'as pas l'air si mal en point que ça, coriace comme tu l'es je suis certain que tu tiendras encore au moins une semaine.

– J'aime ton optimisme. Que deviendrait l'Afrique sans des gens comme toi… Mais je suis au regret de devoir te confesser que ça va de mal en pis pour moi. Ce matin j'ai vomi un caillot de sang qui ne peut qu'être de très mauvais augure. Je parviens encore à donner le change mais dans au plus quarante-huit heures ce sera la fin. Ce n'est pas pour me laver que je viens rester ici, mais pour pouvoir boire beaucoup d'eau fraîche. Je suis en train de mourir. Alors, je te prie de te grouiller.

– Tikyo Tikyo, tu ne mourras pas avant mon départ et je jure que tu ne seras pas mort pour rien. Accroche-toi et donne-moi jusqu'à la nuit de demain. Cette nuit tu peux rester couché pour reprendre des forces, mais quand il fera nuit demain transforme-toi en *ewusu*, sors et reste sur le qui-vive. Je te promets qu'il se passera quelque chose.

– Tu fais trop de promesses, mon ami. Fasse le ciel que tu ne sois point parjure. As-tu retrouvé la plante hallucinogène ?

– Non, aujourd'hui encore j'ai examiné chaque buisson, fourré, bois et sous-bois qui existent entre le village et la colline Ndik-ba. Sans plus de succès que la dernière fois.

– C'est pas grave, tu te serviras de ton grain de maïs. C'est bien ce qu'ils t'ont donné comme joker, n'est-ce pas ?

– Oui.

– J'espère que tu l'as mis en sécurité, ton grain de maïs.

– Bien sûr. Il est dans le creux de cet arbre que tu vois là-bas.

– Là-haut ?

– Oui. En dehors d'un lézard ou d'un écureuil, il n'y a guère qu'un *ewusu* qui puisse aller l'y chercher.

– Tu le contrôles régulièrement au moins ?

– Euh… oui, il est encore en place.

– Nous serions allés tout de suite regarder mais, comme pour le moment nous sommes des villageois de chair et d'os, il ne nous est pas possible de grimper sur un arbre pareil.

– Je jetterai un coup d'œil de routine cette nuit encore.

– Je pense que tout ira bien. Tu vois, je partage déjà ton optimisme. Je voudrais que tu saches que j'ai été ravi de te rencontrer. J'aurais peut-être aussi aimé faire ta connaissance à Yaoundé. Dis, quel métier exerces-tu dans la vie réelle ?

– Je suis infographe.

– Moi je suis créateur de logiciels. C'est sûr qu'on aurait fait un bon tandem d'informaticiens.

– Dommage…

– Tu n'oublieras pas ta première promesse, n'est-ce pas ?

– A propos de ta mère ?

– Oui. Tu sais, c'est la seule personne que je laisse véritablement derrière moi.

– Je jure que j'irai la voir à Edéa.

– Si tu parviens à tenir cette promesse-là, alors tu auras rempli toute ta mission. Maintenant partons, c'est bientôt l'heure d'aller récolter le vin de palme.

*
* *

Après un tour de buisson et un repos bien mérité, je pris la direction de la grande cour qui restait le meilleur endroit où passer le temps dans le village. Ce n'était pas encore l'heure de la palabre mais il y avait quand même foule sous le baobab. Comme d'habitude, le demi-cercle de buveurs était essentiellement masculin et les jeunes hommes de l'âge de Jam-Libe, qui étaient revenus de leurs travaux, avaient droit à une place auprès des anciens. Tout ce beau monde commentait la cérémonie de mariage de la veille, et on ne tarda pas à laisser la parole au marié pour qu'il dise de sa propre bouche si les performances sexuelles de la mariée confirmaient le potentiel qu'elle avait laissé entrevoir en dansant le *makounè*. Après une ronde de jurons et de remarques salaces, le doyen Ngué dit en agitant fébrilement son chasse-mouche :

– Il faut reconnaître qu'il y a des gens d'esprit parmi ces beaux-parents, mais nous leur avons quand même montré qu'il y a gens et gens. Vous les jeunes, vous avez vu comment j'ai tenu tête à leur doyen, n'est-ce pas ? S'il avait mangé les gésiers ici, comment aurions-nous été vus par les femmes de ce village ? C'est pourquoi on ne cesse de vous dire qu'il faut côtoyer les anciens, au lieu d'aller traîner du côté des cuisines. Le jour où ce sera à vous de sauvegarder l'honneur du clan, qu'adviendra-t-il s'il n'y a pas d'homme capable ?

Quand la palabre se termina cette nuit-là, je me transformai en *ewusu* et descendis vers la rivière. Je grimpai sur l'arbre qui m'avait servi de cachette et fouillai dans son creux... Je tâtai toutes les parois et fus bien obligé d'accepter l'inacceptable : le grain de maïs avait disparu !

*
* *

Le jour sembla se lever avec une hâte qui contribua aussi à m'accabler, surtout que je n'avais pratiquement pas fermé l'œil. En regardant la position du soleil j'imaginais qu'il était plus de huit heures. J'avais beau inspirer et expirer à divers rythmes, je me sentais toujours oppressé par une rebelle chape d'angoisse. Même mon hôte Ngambi me trouva pâle. Après un arrosage en commun de l'oignon de son grand-père, il suggéra que l'on aille reprendre des couleurs sous le baobab avec la première tournée de vin de palme qui allait bientôt débuter. Je pensai tout d'abord à Jam-Libe avec qui j'avais rendez-vous pour aller commencer

241

ma vraie initiation de chasseur. La journée allait être consacrée à la pose de pièges à porc-épic, en attendant la nuit pour la suite. Peut-être m'attendait-il déjà... En tout cas, il valait encore mieux se rendre au baobab où tous les hommes convergeaient le matin avant de se disperser, pour ceux qui avaient des champs ou autre chose à faire. J'acceptai donc la suggestion de Ngambi et nous prîmes la piste.

Entre deux groupes de cases, quelqu'un avait accroché un gros régime de bananes sur une fourche, à l'intention des passants. Ngambi et moi nous mangeâmes chacun deux bananes douces avant de poursuivre notre route. Comme nous passions devant un autre groupe de cases, une vieille femme nous salua de sa cuisine et nous demanda de la rejoindre. Elle nous fit entrer, nous pria de nous asseoir sur un long morceau de bois et nous servit à chacun une tranche de gâteau de pistache et un bâton de manioc. Sa cuisine, dont le sol inégal et les murs striés de bambous étaient recouverts de la même terre battue, n'était pas très grande. Tout au fond, la largeur était occupée par une claie à trois étages : le premier étage, le plus proche du foyer de terre, était celui d'où était sorti le gâteau de pistache, et il contenait plusieurs autres paquets de feuilles qui devaient sans doute recéler divers délices ; le deuxième étage laissait voir entre autres des boules blanchâtres que la fumée n'allait par tarder à noircir, du manioc fermenté destiné à la préparation du couscous ; sur le troisième étage étaient posés beaucoup de paniers d'osier dont certains étaient vides et d'autres remplis d'arachides ou de pistaches. De l'autre côté il y avait plusieurs calebasses ; les plus petites avaient un col étroit tandis que les plus grandes contenaient de l'eau à ras bord. Contre une poutre de la claie était adossée la pierre plate à écraser les condiments de la sauce *mbongo*, ou bien le manioc.

Quand nous eûmes fini de manger, la vieille femme montra à Ngambi l'ouverture béante de sa fenêtre en lui racontant les malheurs que lui causaient les chats des autres. Ngambi, à qui je découvrais des talents de menuisier, se servit de ses doigts et mesura quatre empans de long sur trois de large, puis il promit à la vieille de revenir installer une fenêtre de bois et de bambous avant la tombée de la nuit. La bru de la vieille femme, dont la case était juste à côté et qui avait tout entendu, en profita elle aussi pour venir poser à Ngambi le problème de sa porte. Il regarda distraitement ses seins couverts et lui demanda d'un air placide :

— Qui dort avec toi dans cette case ?

— Mon mari, répondit-elle.

— Et pourquoi c'est moi qui devrais fabriquer la porte ? Appelle ton mari, qu'il vienne faire tout son travail.

Sur ce ton sans réplique il tourna le dos et m'invita à le suivre sur la piste. Nous arrivâmes sous le baobab et trouvâmes des notables passablement irrités qui attendaient toujours le vin de palme. Lorsque Tikyo arriva enfin avec la calebasse de vin, ils lui firent des reproches sur son retard, mais se montrèrent exceptionnellement tolérants parce que c'était la toute première fois qu'il les faisait attendre. Je jetai un regard vers Tikyo, mon contemporain et compagnon de misère : il maigrissait presque à vue d'œil, mais il y avait encore dans ses yeux cette lueur d'exaltation qui m'avait frappé lors de notre première rencontre. Fermant les deux poings, je lui fis subrepticement un geste d'encouragement et il me répondit par un hochement de tête. Je décidai de ne rien lui dire à propos de mon grain de maïs, pour ne pas ajouter à sa peine. Il me restait au moins une virée dans la forêt et je n'avais pas perdu tout espoir de trouver la plante hallucinogène qui ouvrait aux *ewusus* les portes du temps. Puisque, en 2011, il restait du persil sauvage sur le site du village abandonné et qu'il y en avait ici, j'espérais fortement qu'il en soit de même pour notre plante. Il suffisait d'un seul pied pour récolter assez de graines et pouvoir retourner dans le présent. Il ne me restait plus d'autre option. Il fallait absolument que j'en trouve, sinon j'étais perdu comme Tikyo. Lui au moins avait délibérément choisi son sort et vivait ses dernières heures avec une gaieté qui donnait presque envie de mourir. Mais moi je ne voulais pas rester condamné dans cette brousse perdue, je voulais rentrer chez moi et participer au renouveau scientifique. Avec tout ce que j'avais vu, j'y croyais maintenant plus que jamais. J'étais à deux doigts de mettre la main sur quelque chose d'énorme, qui avait semblé relever du rêve, voire de la schizophrénie, et il m'était insupportable de penser que

244

ce pouvoir courait le risque de rester à jamais bloqué dans le néant faute de quelques graines d'une plante dopante… Je chassai vivement cette pensée négative en voyant Jam-Libe déboucher au bout de la piste. Il était prêt pour les travaux pratiques de piégeage de porc-épic. Je joignis mes deux mains contre mon nez, inspirai, expirai… Autour de moi les notables du village bavardaient et riaient aux éclats en suivant avec intérêt le parcours du gobelet. Il me sembla cette fois ressentir un peu de détente, et c'est avec détermination que je me levai pour emboîter le pas à Jam-Libe sur le sentier de la forêt.

Jam-Libe commença par m'emmener au bord d'un ruisseau. Il me montra la longue haie d'à peu près un mètre de hauteur qu'il avait fabriquée avec des tiges d'arbustes serrées les unes contre les autres. A la base de la haie il avait aménagé de petites ouvertures distantes d'environ huit à dix pas. Il m'expliqua que comme il venait de construire cette haie, il avait choisi dans un premier temps de ne pas piéger les ouvertures afin que les animaux s'habituent à traverser librement la haie pour aller se désaltérer dans le ruisseau ; qu'il ne reviendrait installer un piège à chaque ouverture que dans une dizaine de jours. Il m'informa que ce style de piégeage était très efficace contre les reptiles : les varans, les couleuvres, les vipères et même les boas se faisaient ainsi prendre presque tous les jours. Ça marchait aussi pour les pangolins. Il arrivait même qu'un porc-épic un peu étourdi se laisse attraper, mais jamais les biches, qui étaient plus méfiantes. Jam-Libe me raconta qu'une fois au cours d'une saison de grandes pluies le ruisseau était sorti de son lit et avait inondé la haie, et qu'après la crue il avait eu la surprise de trouver un gros silure pris dans un piège. Personne n'avait voulu le croire au village quand il avait raconté l'histoire de ce poisson.

Après la haie, nous entrâmes plus profondément dans la forêt et la leçon proprement dite commença. Dès qu'une piste de porc-épic fut détectée, Jam-Libe me dit :

– Poser un piège est une simple question de bon sens. Regarde. Tu commences par apprêter une liane de ce genre... A un bout de la liane tu fais un nœud coulant comme ceci... au milieu de la liane tu attaches bien le déclencheur, ce petit morceau de bois... l'autre bout de la liane sera noué au levier...

Après avoir coupé une tige d'arbuste, flexible et solide, qui devait servir de levier, Jam-Libe se mit au travail en m'expliquant par le menu chaque étape de la pose du piège.

– Maintenant que la fourche est bien enfoncée dans le trou, je vais m'occuper de la mise en place du système de déclenchement, me prévint-il.

Jam-Libe chercha un bâton de la grosseur d'un stylo à bille et vint le placer horizontalement dans le trou, un bout fiché dans la terre et l'autre posé sur le déclencheur qu'il avait coincé sous la fourche. Quand ce fut fait, il plaça d'autres petits bâtons au-dessus du premier, perpendiculairement. Ceux-là, il les serra les uns contre les autres pour qu'ils fassent une sorte de tapis. C'est sur ce tapis qu'il coucha tout doucement le nœud coulant. Et pour masquer le dispositif, il jeta un peu de terre par-dessus. Enfin, après avoir vérifié que la piste de l'animal n'avait pas été trop dénaturée, il me dit :

– Quand l'animal sera de passage ici, aussitôt qu'il aura posé la patte sur notre trou masqué, c'est son propre poids sur les petits bâtons qui décrochera le déclencheur, libérant le levier qui dans son brutal mouvement de redressement emportera la bête dont la patte est déjà prise dans le nœud. Lorsque tu arrives pour la visite de tes pièges, tu trouves un porc-épic en suspension et il ne reste plus qu'à l'assommer, s'il est encore vivant. Voilà ce qui s'appelle tendre un piège, termina-t-il.

Je reculai de quelques pas et admirai cet ingénieux dispositif disséminé dans la forêt qui coûtait la vie chaque jour à tant de porcs-épics au grand bonheur des villageois. La piste avait été exactement remise en l'état ; la liane tendue à l'extrême ne détonnait même pas dans le paysage ; le levier recourbé et sous pression était prêt à se propulser brutalement vers l'arrière au moindre choc sur le déclencheur. Un porc-épic qui marchait sur le piège n'avait aucune chance d'en réchapper. Il fallait avoir de bons yeux pour distinguer ce piège dont même les éléments apparents se camouflaient parmi le feuillage des arbustes environnants. D'emblée il m'apparut que les pièges d'un bon chasseur ne peuvent être correctement tenus que par ce chasseur lui-même, parce que quelqu'un d'autre serait capable de passer sans les voir ou même de les déclencher accidentellement, en courant au moins le risque de recevoir violemment un levier en pleine gueule.

— Avançons, il y a d'autres pistes de porc-épic là-bas. Tu vas tendre cinq pièges, tout seul, pour me montrer que tu as bien saisi, me dit Jam-Libe.

Je le suivis en me disant avec un peu de regret que si j'avais eu dans mon enfance un ou deux instituteurs comme lui, je serais aujourd'hui agrégé de quelque chose. Je me sentais très capable de truffer toute la forêt de pièges en une journée. Je me projetais déjà à la prochaine nuit, convaincu que le secret de la dématérialisation des objets allait entrer dans ma tête avant même l'exercice d'application, si Jam-Libe y mettait ne serait-ce que la moitié de la pédagogie dont il venait de faire preuve.

*
*   *

La journée avait été pleine de points positifs. Mon instructeur Jam-Libe m'avait félicité après mon cinquième piège, que j'avais tendu comme les autres sans commettre la moindre faute. Il avait été enchanté quand sur le chemin de retour j'avais poussé la conscience jusqu'à couper des tiges d'arbustes pour faire un stock de leviers, et aussi quelques fourches. Rendez-vous avait été pris pour l'après-palabre, dans la nuit, pour la leçon de piégeage des grandes antilopes. La seule qui m'intéressait en réalité. Tikyo marchait encore à peu près droit. Même Ngo-Minka m'avait réservé une bonne surprise en me confectionnant cette fois-ci un paquet d'escargots au *mbongo* pimenté. La journée eût été parfaite si j'avais aperçu une tige de notre plante hallucinogène, mais une fois encore la forêt m'avait déçu.

Il pouvait être quinze ou seize heures. Depuis ma sortie de brousse j'étais allongé par terre sous un arbre non loin de la grande cour. Tikyo était couché près de moi. Il avait laissé la récolte du vin de palme à quelqu'un d'autre. Je me demandais encore s'il fallait lui parler du tracas qui était le mien. Petit à petit le grain de maïs s'imposa à nouveau dans mon esprit et, de spéculations en supputations, je finis par me convaincre que soit un oiseau l'avait avalé, soit quelque chose l'avait poussé par terre. S'il était tombé par terre, je devais le retrouver. Je décidai donc de m'accorder une dernière chance, après ma leçon nocturne avec Jam-Libe, pour tenter de récupérer mon grain de maïs. Cette fois j'étais bien décidé à parcourir cet arbre branche par branche, feuille par feuille, creux par creux et même son sous-bois. Je finis par m'assoupir en pensant à mes jumelles.

Je fus réveillé en sursaut par une clameur qui secoua tout le village. Des hommes passèrent en courant et se dirigèrent vers une forêt où se préparaient de nouveaux champs. Je vis des femmes lever les bras au ciel en criant, d'autres se rouler carrément par terre. Saisi d'un mauvais pressentiment, je me levai d'un bond et me rapprochai d'elles en quête d'informations. J'appris qu'il s'était produit un accident, qu'un jeune homme était couché dans un champ, qu'il agonisait et qu'il était peut-être même déjà mort. Aucune pleureuse ne savait encore de qui il s'agissait, mais elles étaient toutes inconsolables parce que ça ne pouvait être que quelqu'un de cher. Les hommes s'étaient précipités sur les lieux du drame et il restait encore à attendre leur retour pour connaître l'identité du malheureux accidenté, mais pour ma part j'étais déjà fixé.

Tikyo ne s'était pas levé de son séant mais je voyais à son expression qu'il pensait comme moi. Je revins à ses côtés et nous restâmes longuement prostrés. Comment pouvait-on avoir parcouru trois siècles à reculons pour échouer à une poignée d'heures de l'objectif ! Je m'affalai, anéanti. La récapitulation de toutes les phases de ce rocambolesque périple commença toute seule dans mon esprit depuis la mort de Dodo, les confessions de Mispa, mon intrusion dans le monde des *ewusus*, ma rencontre avec Ada et les conséquences qui en avaient découlé, de Yaoundé jusqu'au lieu où je me trouvais. Curieusement je me sentais de plus en plus relax, sans même avoir eu besoin d'inspirer et d'expirer comme d'habitude. Peut-être parce que le compte à rebours venait de s'arrêter et qu'il n'y avait plus lieu de courir… Je penchai la tête du côté de Tikyo : il était allongé sur le dos lui aussi, les yeux clos, et semblait serein. Nous avions vu un peu trop grand et la réalité nous avait rattrapés, un à un, avec une féroce inexorabilité. Un, deux, trois, quatre, cinq… C'était mon cinquième jour dans le So-Maboye de 1705. Là-bas, en 2011, sur le site du village abandonné, Ada, Ndame et Nliba veillaient sans doute encore sur mon vrai corps charnel. Ils devaient toujours être obnubilés par leurs ambitions sans savoir que ma mission était terminée. Si je ne retrouvais pas mon grain de maïs dans les cinq prochains jours, selon le délai normal de retour, ils allaient m'ensevelir pour de bon. J'allais alors entamer une lente mais inéluctable dérive vers la mort, comme Tikyo. J'éclatai subitement de rire à la pensée que ma seule véritable mission se résumait dorénavant à rechercher un grain de maïs dans un village perdu dans les méandres du temps, et cet incongru accès de rire me fit craindre un début de folie.

Le bataillon des pleureuses, qui avait maintenant reçu le renfort de presque toutes les femmes du village, explosa en hurlements et lamentations. Le corps de l'accidenté faisait son entrée. Je me rassis et lançai un œil désabusé vers les quatre jeunes hommes qui portaient la dépouille sur un travois. Une sorte de décharge électrique m'ébranla instantanément de la tête aux orteils. Je me jetai aussitôt sur Tikyo, l'attrapai par les deux pieds et le secouai comme une brouette :

– Tikyo, reviens… reviens, ce n'est pas fini ! Il est vivant !

– …

– Tikyo !

– Hein, hein…

251

– Lève-toi. Tout n'est pas perdu, regarde…

Jam-Libe marchait en tête de file, écartant les pleureuses pour frayer un chemin à ceux qui portaient le mort. Cette vision me transporta à un point tel que je dus me rallonger par terre pour prévenir un emballement de cœur. Après plusieurs agréables inspirations et expirations, je me dirigeai vers Jam-Libe afin qu'il me parle lui-même du décédé :

Il s'appelait Elouga et n'était pas originaire de So-Maboye. C'était un jeune homme issu du clan Badjob qui n'était là que depuis six jours parce qu'il convoitait une jeune fille du cru dont il avait officieusement manifesté la volonté de faire son épouse. Pour éprouver ses sentiments on lui avait indiqué un coin de brousse afin qu'il montre de quoi il était capable en apprêtant un champ pour sa future belle-mère. Les guetteurs assuraient qu'en trois jours le jeune homme avait débroussaillé au moins l'équivalent de quatre concessions familiales. En plus, après chaque journée de travail le brave garçon ramenait du bois de cuisson pour la future belle-mère, d'ores et déjà acquise à sa cause, qui n'attendait plus qu'il ait fini d'abattre les arbres pour faire remonter l'affaire au niveau de l'arbre à palabre. Et c'est pendant la dernière séance d'abattage que le pauvre Elouga avait reçu un fromager en pleine poitrine.

Je n'avais rien contre Elouga mais j'étais bien content que ce ne soit pas Jam-Libe qui soit mort ce jour-là. Même Tikyo trouva la force de se remettre debout. Les gens semblaient extrêmement affectés mais, comme le vin de palme avait déjà été récolté, on n'avait pas d'autre choix que de lancer une ronde de gobelet pour qu'il ne se gâte pas. La palabre du soir commença avec une bonne heure d'avance, mais ce qui me surprit le plus, c'est qu'elle commença avant même que les femmes n'aient déposé la moindre écuelle. C'est à ce moment seulement que je réalisai que le cas Elouga était sérieux, car il fallait vraiment qu'il le fût pour que les notables acceptent de siéger sans avoir mangé. Le doyen Ngué, un peu moins grandiloquent que de coutume, le confirma d'ailleurs dès sa première phrase :

— Mes frères, l'heure est grave. Voilà le petit Badjob d'autrui qui est venu mourir entre nos mains alors qu'on ne l'avait même pas encore officiellement reçu. Qu'est-ce que nous allons dire aux gens de son clan ? Vous connaissez vous-mêmes les Badjob, ces gens irascibles qui se sont scindés en sous-clans pour un gigot de chèvre. Est-ce qu'ils voudront croire que leur fils est mort de mort naturelle ? Ne diront-ils pas qu'il a été mangé dans la nuit par les sorciers de notre village ?... Et d'ailleurs à ce propos, disons-nous d'abord la vérité puisque nous sommes encore entre nous : est-ce que cet Elouga qui est couché là est vraiment mort de mort naturelle, hein ?

Un brouhaha éclata aussitôt et chacun leva ses deux mains avec l'air de renvoyer la responsabilité de la mort de Elouga sur les autres. Voyant que de vieilles querelles de familles étaient sur le point de s'envenimer, le doyen ramena le silence d'une seule agitation rageuse de chasse-mouche :

253

– Je vous préviens tous : que celui qui n'a pas les côtes solides ne mette pas ses pieds chez les Badjob pour ce deuil, parce que les premiers sortilèges voleront avant les salutations. Et il faut qu'il reste des gens debout pour entamer la palabre qui se prolongera certainement jusqu'au moment de l'enterrement. J'ai déjà envoyé quelqu'un là-bas pour annoncer la triste nouvelle et prévenir que je viendrai personnellement avec le corps. Il me faut des gens pour m'accompagner, mais je ne veux désigner personne. Seulement demain matin, que celui qui se sent homme dans ce village me suive… Où est Ngo Bassom ? Cherchez-moi cette Ngo Bassom !

Des chuchotements s'élevèrent dans le coin des femmes. Une gracieuse fille se leva et s'avança en frémissant de tous ses seins.

– Approche ! lui ordonna le doyen. Quand une jeune femme commence à perdre des fiancés à ton âge, cela signifie qu'il y a une malédiction qui lui vient du côté maternel. Si rien n'est fait, tous tes hommes mourront comme Elouga. Comme une chose pareille ne doit pas se reproduire ici, nous te soumettrons à un rite de purification dès notre retour de Badjob. Tu diras à ta mère d'apprêter un coq.

Des notables s'exprimèrent avec véhémence contre un laisser-aller de plus en plus remarquable qui favorisait le fait que de jeunes hommes d'ailleurs puissent s'introduire dans le village par les cuisines. Quelques-uns demandèrent des sanctions et quelques autres promirent une bastonnade préventive à leurs femmes et à leurs filles, s'ils revenaient du deuil.

J'écoutais les diverses interventions avec un intérêt tout à fait particulier, parce qu'il était possible que cette palabre soit ma dernière. La chance avait recommencé à me sourire au moment où je m'étais cru enterré, et s'il en allait ainsi jusqu'au bout de la nuit, c'est dans le monde réel que j'allais probablement me réveiller. Tandis que les notables parlaient en bombant le torse, que les femmes murmuraient entre elles en décortiquant des pistaches et que les enfants se goinfraient de mangues sauvages, je m'offris ce qui se voulait un dernier passage en revue des visages, des attitudes, des vêtements, de certaines rondeurs, mais aussi des odeurs de ces gens qui avaient été en 1705 les habitants du village So-Maboye. Il y avait d'abord le vieux Ngué, un malingre bonhomme qui du haut de son statut de doyen exerçait une autorité que je n'avais vu personne contester. Il y avait tous ces notables qui rigolaient volontiers quand ils se passaient le gobelet de vin de palme ou même quand ils allaient en groupe se baigner dans la Libanga, mais qui affectaient un visage sévère dès qu'il s'agissait de siéger en compagnie des femmes sous l'arbre à palabre. Ils étaient pourtant tous polygames, à l'exception notoire de Ngambi mon hôte balafré qui, en attendant patiemment sa première épouse, continuait de pisser sur l'oignon de son grand-père. Il y avait les grand-mères, peut-être la seule catégorie de femmes à avoir voix au chapitre en public ; avec les gâteaux de pistaches, de graines de

courge ou de pâte d'arachide qui tapissaient régulièrement les étages de leurs claies elles étaient adorées des
enfants, même si elles se montraient sévères avec les
jeunes filles. Il y avait le reste des femmes, effacées, labo-
rieuses, vouées au service de leur époux et de l'ensemble
de la communauté. Il y avait enfin les jeunes gens comme
Jam-Libe sur qui reposaient les courses et les corvées et
à qui on ne demandait pour l'heure qu'une seule attitude : savoir en même temps ouvrir l'oreille et fermer la
bouche.

Malgré une forte tendance au cloisonnement sur la
base de l'âge ou du sexe, en dépit d'un penchant pour la
loi du plus fort dans les différends, il régnait ici une vraie
liberté et un élan général de solidarité. J'arrivais à
comprendre qu'un garçon bourré d'idéaux comme
Tikyo n'hésite pas à tout sacrifier pour quelques jours de
plus dans une société pareille. Moi aussi j'étais séduit
par l'authenticité, la spontanéité, voire le sans-gêne qui
suintaient de chaque acte et parole de tous ces individus,
j'étais quelque peu abasourdi par leur brutalité verbale
qui se voulait l'équivalent de la franchise, j'étais
enchanté d'être dans un endroit où l'harmonie entre les
hommes et la nature était totale, mais je pensais qu'il
était plus important de pouvoir retourner dans le
présent afin d'avoir peut-être un jour l'opportunité d'en
témoigner d'une façon ou d'une autre. Car si la percée
scientifique procédant d'un legs de sorcellerie ancestrale pouvait assurément permettre d'affranchir une
Afrique longtemps abusée, j'étais persuadé pour ma

part que la réappropriation du fonds de cultures et coutumes perdues par ses habitants pouvait autant sinon davantage œuvrer à l'émancipation de ceux-ci.

La nuit tomba et se poursuivit en chants funèbres. Les mères ne tardèrent pas à conduire les enfants dans leurs lits de bambous et les grand-mères s'occupèrent de chasser les jeunes filles vers leurs cases. Après un consciencieux vidage d'écuelles tardives accueillies avec des bouderies de pure forme, quelques notables parmi ceux qui entendaient donner la démonstration de leur courage en accompagnant le doyen Ngué chez les redoutables Badjob se retirèrent à leur tour. Je me posais déjà des questions quand je vis enfin Jam-Libe saluer quelques cousins et partir. Cinq minutes plus tard, j'avais gagné ma couchette. Comme trop d'émotions contraires m'avaient durement ballotté pendant la journée, je m'endormis sans tarder.

Quand je ressortis en *ewusu*, quelque temps plus tard, le village n'était toujours pas endormi. La veillée mortuaire se prolongeait et prenait des allures de spectacle avec un déploiement de danseurs de *makounè* auxquels la lueur des feux donnait des allures de zombis. Le corps sans vie de Elouga était allongé au sol sur des feuilles de bananier et on lui avait enduit les yeux de sève de plantain pour les maintenir fermés. Par prudence, je ne traînai pas dans ces parages, convaincu que la totalité des *ewusus* du village n'allaient pas tarder à venir se retrouver sur les branches du baobab pour une réunion de crise. Il était important que je puisse voir

Jam-Libe avant, aussi pris-je le parti de me diriger vers sa case. En coupant par-dessus un bosquet j'aperçus quelque chose de remuant qui m'avait tout l'air d'un couple en pleine fornication sous un arbre, mais j'étais trop pressé pour descendre m'en assurer.

Jam-Libe était déjà assis sur une branche du karité de notre première rencontre d'*ewusus*. Dès que j'apparus il m'apostropha comme un élève surpris en pleine école buissonnière :

– Nsona, voilà un moment que je t'attends. Mais où étais-tu donc passé ?

– Je suis descendu du côté de la grande cour dans l'espoir de t'intercepter. C'est quand j'ai vu qu'il n'y avait encore personne sur le baobab que je me suis dirigé par ici.

– Tu ne devrais pas déambuler seul dans le village, surtout en ce moment critique où l'éventualité d'une attaque des Badjob n'est pas à négliger.

– Je sais. Mais comme je craignais que les derniers développements n'aient une influence sur notre programme, il fallait à tout prix que je te rencontre pour être fixé.

– Il n'y a pas de changement. Sauf que nous devons nous dépêcher si nous voulons poser au moins un piège à grandes antilopes, car il y aura effectivement cette nuit sur le baobab une réunion à laquelle je dois assister. Nous avons juste le temps d'aller dans la forêt pour que je te montre comment on fait.

– Je suis prêt.
– Alors, allons-y.

*
* *

Quand le soleil se leva pour la sixième fois depuis mon arrivée dans le village de Jam-Libe, il y avait déjà quelques heures que j'étais en possession du secret de la dématérialisation des objets. J'avais réussi l'incroyable défi, du moins la première partie qui consistait à remonter le temps en quête de ce que la transcendance du savoir occulte avait commis de plus ingénieux chez un primitif animiste du XVIIIᵉ siècle, perdu au fin fond d'une forêt presque inaccessible de l'Afrique équatoriale.

Jam-Libe m'avait complètement ébloui de son génie. Etape par étape, point par point, il m'avait enseigné par la pratique l'art de rendre une liane invisible et immatérielle après en avoir fait un nœud coulant pour piège à antilope. Il m'avait montré comment ramener au besoin la liane à son état premier. Après le piège expérimental, il m'avait imposé un exercice de dématérialisation de lianes et même de leviers qui m'avait conduit à la pose de mon propre piège à grandes antilopes. J'y avais tellement pris goût que Jam-Libe avait dû hausser le ton pour que je sorte enfin de la forêt. Il y avait rassemblement des *ewusus* et il ne voulait pas être en retard. De retour au village, il m'avait proposé de l'accompagner sur le baobab afin qu'il me présente à tous comme son filleul. J'avais dû accepter pour ne pas le contrarier. C'est ainsi que je m'étais retrouvé assis sur une branche du fameux baobab, en compagnie de tous les *ewusus* de So-Maboye.

Pendant que le conclave des *ewusus* se tenait sur les branches, il y avait encore sous le baobab des ingénus qui veillaient autour du corps de Elouga. Il me suffisait de baisser un peu les yeux pour voir mon hôte Ngambi se goinfrer d'arachides grillées en divertissant une assistance de jeunes gens avec une brillante jactance. De temps en temps une grand-mère lui lançait une remarque acerbe, mais il ne s'en formalisait pas du moment que les rieurs étaient de son côté. Visiblement il était le plus populaire des notables auprès des jeunes du village.

Sur le baobab, j'avais compté en tout sept *ewusus* en face de moi, dont une seule femme. A ma grande surprise le doyen Ngué n'était pas du nombre. Dans ce cercle occulte c'est le notable Nliba qui conduisait les débats, et il le fit cette nuit-là avec un charisme qui était d'autant plus inattendu que c'est à peine si je l'avais déjà vu ouvrir la bouche lors d'une palabre normale. Première chose établie : Elouga était bien mort de mort naturelle, puisque aucun des sept *ewusus* présents ne se reconnaissait responsable de ce qui lui était arrivé. Une fois cela clarifié, ils avaient décidé de se mobiliser pour aller chez les Badjob afin d'engager une palabre parallèle avec les *ewusus* de l'autre clan, dans le but d'aider à la manifestation de la vérité et de désamorcer ainsi un conflit qui pouvait se révéler dommageable pour tous. Au terme de la réunion, c'est Jam-Libe qui avait été désigné pour rester dans le village afin d'assurer la garde. Avant de nous séparer nous étions convenus lui et moi d'aller dans la forêt au lever du jour pour voir comment se comportaient nos pièges. Voilà comment la nuit s'était déroulée.

Une nuit intense au cours de laquelle, hormis la raison de mon engagement, j'avais en sus pu prendre une place confortable dans la société secrète du village. Il est vrai qu'après m'être emparé du secret tant convoité je me fus volontiers passé d'une invitation à rejoindre la cime du baobab, moi qui projetais plutôt de consacrer le reste de la nuit à rechercher mon grain de maïs. Seulement Jam-Libe, qui m'offrait un parrainage en d'autres temps inespéré, eût pris tout refus comme un affront personnel. Dans le monde des *ewusus* c'est le genre d'attitude qu'il faut éviter quand on veut vivre longtemps. Résultat : au matin du sixième jour, je traînais toujours dans le passé et il me restait encore à parachever ma mission en ramenant ma trouvaille à ceux qui m'avaient commandité.

Ma première idée fut de descendre vers la grande cour. Je n'avais pas senti Tikyo dans la nuit comme convenu et il fallait que je le voie de toute urgence pour lui annoncer la bonne nouvelle. On buvait déjà du vin de palme, pourtant sous le baobab ce n'était pas l'ambiance habituelle. La plupart des notables avaient accepté d'accompagner le doyen Ngué chez les Badjob, préférant encore risquer un mauvais sort que de perdre la face devant les femmes du village. Seuls trois s'étaient dérobés en prétextant une colique, et mon impayable hôte Ngambi était évidemment du nombre. C'est encore lui qui parlait le plus sous l'arbre, tenant le gobelet bien en main. Comme des trois notables fainéants il était le plus âgé, c'était à lui qu'il revenait d'assurer l'intérim au poste de doyen du village, même s'il y avait plusieurs grand-mères qui étaient ses aînées.

Personne n'avait vu Tikyo. Une femme me confia entre deux lampées de vin de palme que la veille après la palabre elle avait aperçu Tikyo qui se faisait masser la poitrine par le notable Njab, l'expert en plantes médicinales. Une autre femme me supplia de l'accompagner dans son champ afin de l'aider à transporter des ignames. Jam-Libe arriva sur ces entrefaites pour notre tournée de vérification des pièges, ce qui me délivra de justesse du désir de cette dernière. Après m'avoir tendu la machette, il me céda le pas pour éprouver mon sens de l'orientation dans la forêt.

Le soleil était presque en milieu de course quand nous arrivâmes dans les parages de mes premières expériences de chasseur. De mes cinq pièges à porc-épic de la veille, deux avaient attrapé du gibier. Pour un début je trouvais que c'était un résultat honnête, quoi qu'en pensât Jam-Libe qui me fit deux ou trois remarques sur l'orientation du levier par rapport à la piste de l'animal. Les deux rongeurs étaient suspendus aux leviers et avaient déjà rendu l'âme, ce qui laissait penser qu'ils avaient été pris juste après la pose des pièges. Tandis que je m'occupais de la réfection desdits pièges, Jam-Libe m'expliqua une variation du même type de piège qui se contentait d'immobiliser l'animal au sol. Il affirma que cela offrait l'avantage de garder le gibier en vie, donc de garantir une meilleure qualité de viande. Mais l'inconvénient avec ce type de piège, toujours selon lui, c'était que lorsqu'un porc-épic était pris il se mettait aussitôt à se ronger la patte. Si, peu de temps après sa capture, on n'était pas là pour l'assommer, il repartait à cloche-patte mais vivant.

Après avoir remis les pièges en bon état, je veillai à ne laisser sur place aucune trace de sang ni la moindre épine de porc-épic. Puis nous progressâmes vers mes deux grands pièges de la dernière nuit. Je ne m'attendais pas à y trouver un animal prisonnier, j'étais juste curieux de savoir comment se présentait le dispositif quand on le regardait avec des yeux d'homme normal.

Tandis que nous enjambions une grosse souche pour amorcer la descente vers la zone qui avait été piégée de nuit, un long brame se fit entendre suivi d'un bruit de lutte. Jam-Libe sauta de la souche et piqua un sprint. Je le suivis comme je pus, de moins en moins pessimiste. Le brame se fit plus déchirant. De loin je pus distinguer à travers le feuillage des arbustes une forme prometteuse qui se relevait. Jam-Libe était déjà sur place. Je l'entendis lancer un puissant cri de victoire, puis il se mit à m'appeler. Quand j'y parvins et vis l'animal, je levai les mains et à mon tour lançai de tous mes poumons un cri de triomphe qui mit la bête en furie. Elle se lança au galop et sembla heurter un mur invisible qui la projeta violemment par terre. Se relevant promptement, elle nous fit face en bavant et s'ébrouant. C'était la plus grosse antilope que j'aie jamais vue. Elle avait une hauteur au garrot d'au moins un mètre et demi pour plus de trois cents kilogrammes de viande, à première vue. Dans sa lutte désespérée elle avait quasiment déblayé le sol, aplatissant toutes les herbes et arrachant même les racines de certains arbustes. Comme l'endroit était assez ouvert, les rayons d'un bon soleil de midi tombaient verticalement sur elle, l'excitant davantage. Jam-Libe commença à tourner autour de l'antilope, en prenant garde de rester en dehors de son cercle de course. Il ne cessait de m'adresser des félicitations que je recevais avec une légitime fierté, parce que j'avais devant moi une preuve formelle de mon appropriation effective de la dématérialisation de tout ce qui était objet. En effet, cette imposante antilope était retenue par une liane invisible que j'avais moi-même préparée d'après les indications de mon maître de chasse. Sur ce point précis au moins je pouvais être définitivement tranquille.

Jam-Libe m'interpella pour que je lui apporte la machette. La première fois que je l'avais accompagné pour la visite de ses grands pièges, il m'avait offert un captivant spectacle de mise à mort. Il avait d'abord longuement fait courir l'animal, il l'avait ensuite attaqué par l'arrière en lui sectionnant deux pattes. Puis il l'avait bousculé et renversé sur le flanc, lui avait planté les cornes dans le sol et l'avait égorgé. Il lui avait enfin coupé les deux oreilles et un bout de queue et c'est avec ces trophées que nous étions partis chercher du renfort au village pour le transport de l'antilope.

Ravi à la perspective de revivre une fois de plus cet intense spectacle, je m'avançai donc pour lui passer la machette. A ce moment, l'antilope brama, ce qui capta l'attention de Jam-Libe. J'étais à deux pas de lui, sous le soleil, quand il se retourna de nouveau vers moi. Ses yeux se fixèrent d'abord sur mes pieds. Il releva la tête et je trouvai bizarre l'air avec lequel il me regardait subitement. Il avait le visage froncé. Me souvenant alors de sa destinée je lui demandai vivement ce qu'il se passait, s'il y avait un problème… Il ne me répondit pas, regarda ses propres pieds, puis revint aux miens. N'y comprenant plus rien, je baissai la tête pour fouiller des yeux ce qu'il y avait de si préoccupant à nos pieds. Tout d'abord je ne vis pas. Puis Jam-Libe recula vivement d'un pas, faisant bouger son ombre au sol. Je regardai de nouveau mes pieds. Tout à coup je compris et mon cœur s'arrêta de battre : je n'avais pas d'ombre ! Quand je relevai les yeux, le regard que je croisai me glaça.

– Qui es-tu ? me demanda Jam-Libe d'une voix sourde que je ne reconnus pas.

*

* *

Je sortis de brousse totalement aux abois. Je faillis me diriger vers la grande cour mais je me ravisai à temps et changeai de direction. Il fallait que je me fasse désormais le plus discret possible, que j'évite les gens. Mais où aller ? Où me cacher ? J'étais en train de tourner en rond à proximité d'un bosquet lorsque je vis Tikyo qui descendait péniblement la piste. Je poussai un juron sonore et courus, désespéré, vers lui.

— Ah, Tikyo, ce que je suis content de te voir encore vivant ! Ecoute, j'ai quelque chose de grave à t'avouer.

— Parle !

— J'ai perdu mon grain de maïs.

— Quoi ! Non, c'est pas possible !

— Il y a plus grave.

— Hein ?

— Je pense que Jam-Libe m'a démasqué.

— Tu es sûr de ce que tu racontes ?

— Sûr et certain.

— Là, c'est la catastrophe ! Comment cela est-il arrivé ?

— A cause de l'ombre : je n'en ai pas.

— Evidemment que tu n'en as pas, malheureux ! Tu n'avais qu'à en tenir compte pour ne pas te faire prendre.

— Je n'en savais rien. Toi, le savais-tu ?

— Je le sais depuis le premier jour. C'est vrai qu'au départ Ada et Ndame ne m'en avaient pas parlé, pour que la peur de me faire prendre ne me pousse pas à renoncer. Ils espéraient que je m'en aperçoive par moi-même une fois arrivé sur le terrain, et que je m'adapte de ma propre initiative. C'est exactement ce qui s'est produit. Dans ce village j'essaie en règle générale de ne pas me pavaner sous le soleil, ou alors je marche au milieu d'un groupe de personnes. Sinon je me contente du peu d'ombre que me fait la calebasse de vin de palme que je porte le plus souvent sur la tête. Quand je me retrouve en situation critique avec quelqu'un, je m'arrange à le distraire autant que possible pour qu'il ne songe pas à baisser la tête. Jusqu'ici cette stratégie m'a réussi. Personne ne s'est attardé sur mes pieds, et c'est entre autres en regardant les tiens que je t'avais repéré. Si je n'avais alors rien dit, c'était juste parce que j'avais pensé que toi aussi tu t'en étais déjà rendu compte.

— Hélas, non.

— On sent vraiment que tu es nouveau dans le monde des *ewusus* !

— Me voilà maintenant dans de beaux draps !

— Comment Jam-Libe a-t-il réagi dans la forêt ?

— Il n'a pas osé m'attaquer parce que non seulement il est beaucoup moins massif que moi, mais en plus c'est moi qui tenais la machette.

— En effet, tu es physiquement plus fort que lui. Tant qu'il fera jour tu ne risques rien, mais dès que la nuit tombera, le rapport de force s'inversera. Avec un *ewusu* de la qualité de Jam-Libe à tes trousses, je peux déjà te dire que ton espérance de vie ne vaut même plus la mienne.

— Non, je ne veux pas mourir ici !

— Du calme, Nsona. Ce n'est pas le moment d'attirer l'attention de tout le village, sauf si tu préfères en finir tout de suite.

— Je me calme, je me calme !

— Où est Jam-Libe en ce moment ?

— Il est reparti dans la brousse avec ses cousins pour transporter l'antilope que j'ai capturée.

— Toi, tu as capturé une antilope ?

— Euh, oui… J'ai bien failli oublier de te le dire, tellement je suis secoué : je suis déjà en possession du secret.

— Le secret de la dématérialisation ?

— Oui, c'est dans les pièges de Jam-Libe qu'il était caché.

— Très bien. Maintenant écoute-moi. Tu vas rester très vigilant et être le premier à te transformer en *ewusu* aussitôt qu'il fera nuit, d'accord ?

— D'accord.

— Parce que si ton adversaire te devance ne serait-ce que d'une minute, tu te retrouveras cloué au sol comme une épave. Ta seule chance de rester en vie quelque temps c'est de parvenir à gagner les arbres, un terrain sur lequel tu jouis d'une plus grande mobilité. Le seul point positif, si c'en est un, c'est que tous les autres *ewusus* du village étant partis au deuil chez les Badjob, Jam-Libe ne pourra pas rameuter la brigade. Le champ sera donc relativement ouvert. Si à cette heure-là je suis toujours en vie, nous tenterons le tout pour le tout. Compris ?

— Oui.

— Puisqu'il faut mourir, autant mourir avec panache.

*
*　*

Là-bas, à l'horizon, le soleil qui m'avait trahi commença lentement sa descente. Je le regardais décliner comme dans un film, en étouffant des sanglots. Quand Jam-Libe et ses cousins revinrent de la forêt chargés de mon antilope, c'est Jam-Libe lui-même qui vint me débusquer pour me faire porter en triomphe par tout le monde. Il entreprit de raconter mon exploit avec des termes tellement flatteurs que je fus emporté par les louanges pendant un moment. Tandis que les gens me congratulaient, nos yeux se croisèrent encore, et ce que je lus dans les siens me laissa horrifié. Le dépeçage commença, supervisé *ex cathedra* par mon hôte Ngambi qui donna aux femmes l'ordre de faire cuire immédiatement un salmigondis de panse et d'intestins d'antilope pour lui et les deux notables qui le secondaient, en attendant les gigots qui demandaient du temps pour être correctement assaisonnés. Jusque-là, nul ne semblait m'en vouloir dans le village, preuve que Jam-Libe ne s'était ouvert de sa découverte à personne. La loi du silence en vigueur dans le monde des *ewusus*, qui avait été fatale à ma sœur Dodo, était en train de jouer en ma faveur et, plus que jamais, je jugeais de son importance. Aucun de tous ces ingénus qui gesticulaient autour de nous n'avait vocation à entendre les tribulations d'un monde insoupçonné. Ils nous louaient Jam-Libe et moi sans se douter de l'affrontement qui avait commencé dans la forêt et qui se poursuivait sous leur nez, avec pour le moment la loi du silence en guise d'arbitre central. Cette loi qui dans quelques heures ne suffirait plus à me protéger, lorsque le soleil aurait franchi la ligne de l'horizon.

De temps en temps, celui qui me considérait désormais comme un ennemi me jetait un regard appuyé par-dessus l'épaule d'un cousin. Parfois il se contentait de se passer doucement le revers de la main sur la bouche. Je ne tenais plus en place. J'eus bientôt la sensation d'être enfumé au fond d'un trou comme l'un de ses rats palmistes. Je fis volte-face, empruntai la piste qui descendait vers la rivière Libanga et me dirigeai vers mon point de chute, qui était encore bien désherbé. Je me plaçai dessus, songeur. Dire qu'il suffisait de s'allonger ici dans la nuit avec dans la bouche un simple grain de maïs pour se retrouver de l'autre côté, à la maison ! Ça me faisait mal de penser que mon grain de maïs était peut-être à quelques mètres de moi, mais que j'étais obligé d'attendre la nuit pour espérer le retrouver, pour tenter une exfiltration. Cette même nuit qu'attendait aussi Jam-Libe pour m'abattre. Tous mes espoirs et toutes mes frayeurs se rejoignaient en cette même nuit et j'étais là, déchiré. Entre l'impatiente attente du coucher du soleil qui seul pouvait me permettre de m'échapper de ce guet-apens et la hantise de me retrouver dans la nuit à la merci de Jam-Libe, je ne savais plus comment me comporter.

Jam-Libe, lui, n'imaginait sans doute pas toute la vérité sur mon compte. Malgré la grande intelligence pratique qu'il avait étalée devant moi pendant les différentes phases de notre collaboration, il ne lui était simplement pas possible de concevoir que l'homme qu'il avait en face de lui était né deux cent soixante-quinze saisons de mangues sauvages après sa mort. Même si je le lui disais de ma propre bouche, une telle idée n'avait aucune chance d'être entendue. Ce qui comptait pour lui c'était de m'avoir clairement identifié comme élément étranger à sa sphère, donc forcément dangereux pour sa communauté. Pour lui je n'étais rien d'autre qu'un mauvais esprit, quelque chose de maléfique qu'il fallait anéantir. Et pour cette tâche, il se proposait de mettre toute l'abnégation que lui imposaient ses responsabilités de gardien du village en l'absence des notables et de la brigade de la nuit. Comment allais-je pouvoir m'en sortir face à celui que la légende tenait pour l'un des *ewusus* les plus aboutis depuis des millénaires ?

Aussitôt que je réapparus dans la grande cour, Ngo-Minka s'approcha de moi et me souffla de ne point m'endormir cette nuit avant qu'elle ne m'ait apporté le paquet de chenilles blanches au *mbongo* qu'elle venait tout juste de poser sur des braises rougeoyantes. J'acquiesçai de la tête et me dirigeai vers l'arbre à palabre, sans même avoir jeté un coup d'œil à sa poitrine magnifique. Arrivé devant le baobab je le caressai longuement et m'oubliai un moment dans la contemplation de la sciure qui m'était restée sur les paumes des deux mains. Cet arbre avait de si belles années devant lui. Sous son ombrage accueillant, plusieurs générations de notables allaient encore pouvoir se passer le gobelet de vin de palme, et il restait des dizaines de milliers de palabres à tenir chaque soir avant l'arrivée du colon allemand et la construction de la voie ferrée. J'époussetai mes mains et m'assis sur une pièce de bois parmi les jeunes gens qui écoutaient gaiement les discours de l'intérimaire Ngambi, entouré de ses deux assesseurs. Devant les cuisines, des femmes commençaient déjà à rassembler en petits tas le hachis de manioc qui avait été mis à sécher sur de larges feuilles de bananier. Ce manioc, dont l'odeur forte allait flotter longtemps dans l'air, était destiné à la préparation d'un bon couscous. Quelque temps après, toute la basse-cour disparut. Un toucan cria dans le ciel et le bruit de son battement d'ailes m'égaya pendant quelques secondes ; je levai les yeux pour le voir rejoindre sa couchette, là-bas sur un arbre. Le crépuscule le plus tourmenté de ma vie commençait.

Tikyo avait disparu depuis notre dernière rencontre. J'avais espéré qu'il resterait à mes côtés mais il devait sans doute être allongé quelque part, trop diminué pour arpenter les pistes du village. Chaque heure qui passait lui ôtait un peu de force, et il était presque au bout du rouleau, peut-être même déjà mort. Sur le moment ça m'avait fait du bien de me confier à lui et de l'écouter, mais désormais je ne voyais pas en quoi il pouvait m'être utile. Les exaltés n'ont pas souvent bonne presse, mais au fond j'admirais l'idéalisme de Tikyo. La détermination avec laquelle il avait sciemment borné son existence méritait du respect, surtout parce que pour l'amour de ses idées il n'avait mis que sa seule vie en jeu.

Il faisait nuit. L'arbre à palabre était assez dégarni, peut-être parce que beaucoup de gens ne reconnaissaient pas de légitimité à Ngambi, surtout les femmes en faveur desquelles il s'était pourtant montré moderniste. Lui ne semblait pas s'en formaliser, du moment que tous les jeunes l'écoutaient. Toutes les cinq minutes il vociférait en direction des cuisines ; finalement il envoya l'un de ses assistants au contrôle des marmites et des éclats de voix de femmes ne tardèrent pas à s'élever de ce côté-là. Une grand-mère sortit la tête d'une fenêtre de cuisine ; écumant de colère elle envoya une suite d'invectives à l'adresse de Ngambi et termina en disant : « Ce n'est pas parce que tu es laid qu'on doit avoir peur de toi ! » Quelques jeunes gens se tordirent de rire sous le baobab. Jam-Libe était assis parmi eux, tout comme moi. Nous étions à deux mètres l'un de l'autre, avec quelques cousins hilares entre nous. Il n'avait pas cédé au fou rire général, pas un muscle de son visage n'avait bougé. Nous ne nous quittions plus du regard et c'était à qui se lèverait le premier. Avec le pauvre éclairage des feux de bois je ne distinguais pas clairement ses yeux, et je supposais qu'il ne voyait pas les miens non plus. En temps normal il n'avait pas l'habitude de traîner le soir sous l'arbre, il fallait donc que je me dépêche. Mais si je tentais de me lever le premier pour engager la course vers le lit, il allait sûrement me battre à plates coutures avec l'expérience qu'il avait des pratiques occultes. Je décidai donc de ne pas bouger, fermai les yeux et me vidai la tête à la recherche du sommeil après avoir imploré le ciel pour qu'il retienne à distance Ngo-Minka et son paquet de chenilles blanches au *mbongo*. Ma dernière pensée fut que soit je n'allais pas voir le prochain lever du jour dans ce village en cette année 1705, soit je n'allais plus jamais voir le lever du jour.

Ma transformation en *ewusu* se produisit avec une fulgurance qui me gonfla à bloc. Après un rapide coup d'œil qui me confirma que Jam-Libe était toujours assis sur place, je fonçai en ligne droite vers la rivière Libanga. Je traversai en trombe la voûte des grands bambous et déboulai directement sur mon point de chute. L'arbre où j'avais caché mon grain de maïs était juste devant moi. D'un bond je fus dessus. En premier lieu je tâtai minutieusement le creux qui m'avait servi de cachette. Rien. Je choisis ensuite l'option de la fouille au pied de l'arbre. Au moment où je touchais le sol, un froufrou m'envoya une giclée d'adrénaline dans les artères et Jam-Libe se matérialisa. Il était placé entre mon point de chute et moi. Il se passa encore le revers de la main sur la bouche en reniflant comme un félin.

– Qui es-tu et que cherches-tu chez nous ? me demanda-t-il en avançant doucement.

– Je suis un homme qui vient de trop loin. Laisse-moi t'expliquer…

– Non, tu n'as pas d'ombre, donc tu n'es pas un homme. Tu es un fantôme, et un mauvais fantôme parce que tu as apporté la mort dans notre village. Je dois t'abattre et te faire disparaître.

Au moment où je m'apprêtais à parler, un autre frou-frou se produisit et Tikyo atterrit juste à côté de moi. Il me prit promptement la main, y déposa quelque chose et me souffla :

– Tiens, c'est le grain de maïs qui m'avait été remis par Ndame. Mets-le dans ta bouche, cale-le sous ta langue et tiens-toi prêt.

Puis il se retourna à une vitesse phénoménale et plongea sur Jam-Libe qui lui aussi avait déjà bondi pour nous tomber dessus. Tous deux se télescopèrent et roulèrent au sol.

– Cours, Nsona ! me cria Tikyo qu'on venait d'attraper par les chevilles.

D'une seule traction je me débarrassai de mon cache-sexe et sautai de toutes mes forces vers mon point de chute. Un effroyable bruit de branches cassées se fit entendre mais je ne cherchai pas à savoir où avait été projeté mon allié, trop occupé à me caler sur la position idoine. Juste au moment où ma nuque touchait le sol je sentis deux mains rugueuses et puissantes m'attraper par le cou. Je poussai un cri de désespoir.

4

L'après-saison

J'étais toujours en train de hurler et de me débattre convulsivement au sol quand j'entendis des voix autour de moi :

– Il est revenu !

– Nsona, Nsona, calmez-vous !

Je sentis qu'on m'attrapait par les épaules et les pieds, ce qui me fit hurler de plus belle. Ce n'est qu'après de longues minutes de lutte énergique que mon cerveau parvint enfin à identifier les voix qui ne cessaient de m'interpeller. Je réalisai brusquement que c'étaient Ada et Ndame. Je m'affaissai alors et restai étendu au sol, râlant de moins en moins bruyamment, de la bave plein la figure, les yeux grands ouverts et certainement inexpressifs. Ada et Ndame s'écartèrent et me laissèrent seul au fond de la fosse, où je gisais à côté de mon corps physique. Je les voyais perchés en hauteur, comme dans un brouillard. Bientôt une troisième silhouette les rejoignit et se pencha pour regarder au fond de la fosse : ce devait être Nliba, celui de 2011... Je reprenais progressivement mes esprits. Bientôt je pus refermer mes yeux et dire silencieusement une prière pour remercier le Ciel de m'avoir ramené. J'étais vivant et bien dans mon époque.

Il y avait quelque chose dans ma bouche... Ah, c'était le grain de maïs de Tikyo. Je devais la vie à une céréale, pas possible ! Je remis le grain de maïs sous ma langue ; il fallait que je le conserve, en mémoire de celui qui me l'avait donné, qui m'avait sauvé la vie. En tentant de me lever je sentis une douleur atroce au cou et je retombai, bousculant un peu mon enveloppe charnelle. Craignant que je ne reprenne la forme humaine, Ada et Ndame se précipitèrent et me sortirent de la fosse. Je compris qu'ils désiraient avant tout me questionner. Mais je n'étais pas encore capable de parler. Ils s'en rendirent vite compte et m'allongèrent sur des feuilles mortes. J'étais tout nu et je tremblais. Mon cœur battait toujours trop vite, il fallait que je parvienne à me calmer. J'inspirai goulûment et expirai. Oh, j'avais réussi... Je respirai plus posément en me promettant de veiller désormais à me ménager émotionnellement, si j'échappais cette fois-ci à l'accident vasculaire cérébral. Décidément cette vie d'action et de stress permanent n'était pas faite pour moi. Mais la vie d'*ewusu* permettait-elle une quelconque sobriété ? Était-il possible d'en sortir, de redevenir quelqu'un de normal, un simple ingénu ? La réponse je la connaissais. Des larmes perlèrent à mes yeux mais je me repris aussitôt, ne voulant pas donner raison à ma grand-mère Mispa qui m'avait prédit que la vérité tant recherchée allait me rendre malheureux. Maintenant qu'un couloir que j'avais cru obstrué se transformait en boulevard devant moi, mon désir de survie se faisait encore plus intense. Il fallait que je me relève et que je vive. En *ewusu*, puisque tel était mon destin.

Aussitôt je commençai à me repasser les différentes étapes du processus de la dématérialisation d'un objet, que j'étais allé chercher au diable Vauvert. Tout était encore clair et précis dans ma tête. Quand je levai le bras, Ada et Ndame accoururent instantanément.

*
* *

Le jour s'était levé. Malgré la fatigue et mon cou encore très douloureux, j'étais sorti aux aurores pour voir le soleil apparaître. Ici j'étais un homme normal et l'astre roi ne pouvait rien contre moi, d'ailleurs j'avais réintégré mon corps physique et, comme tout le monde, j'étais suivi par mon ombre. Ada et Ndame étaient repartis pour Yaoundé avec leur voiture, avant le premier chant du coq, survoltés par les explications que je leur avais données. C'est tout juste s'ils ne s'étaient pas agenouillés pour me remercier du concours décisif que j'avais apporté aux travaux de leur académie d'*ewusus*. Ils m'avaient proposé de repartir avec eux, j'avais décliné l'offre, car il me restait une course à faire. Il n'était pas six heures du matin, or mon train arrivait à Messondo à 10 h 15. Avant de prendre la route, les deux chercheurs m'avaient garanti qu'une vague de découvertes scientifiques majeures allait bientôt déferler sur le monde, venant d'Afrique.

So-Maboye n'était pas encore réveillé quand j'empruntai la piste de la forêt. Après la colline Ndik-ba, je fis mon entrée dans le site du village abandonné. Le baobab s'y morfondait, la cime presque complètement sèche et ravagée. Il me sembla voir au pied de l'arbre, assis en demi-cercle sur des pièces de bois, des gens en cache-sexe qui me regardaient avancer. Ils étaient silencieux. Il y avait un malingre, un balafré et d'autres encore. Je me rapprochai et le mirage s'évanouit. Je scrutai les tombes éparpillées autour du baobab, puis très calmement, je descendis vers la rivière Libanga. La voûte de bambou semblait avoir gagné en longueur et en superficie ; si on ne faisait rien, elle allait finir par remonter jusqu'au cœur du village. Un peu plus bas je vis de la terre fraîchement remuée : ma fosse avait déjà été comblée. J'avais beaucoup de chance de ne plus y être. Nliba était quelqu'un de diligent. J'avançai encore jusqu'au bord de la rivière. La Libanga coulait lentement. Il me sembla voir trois filles s'y diriger avec des calebasses en équilibre sur la tête, seins nus en avant, mais c'était encore un mirage. Je me déshabillai et plongeai dans l'eau. Par rapport à l'autre époque, s'il y avait une différence c'était qu'on voyait moins de boue sur la rive opposée, sans doute parce que depuis longtemps personne ne venait plus y chercher des vers de terre pour la pêche. Je réservai ma dernière escale à Tikyo. A l'endroit où avait été creusée sa fosse, qui était devenue sa tombe, je m'arrêtai et me recueillis. Puis après un dernier coup d'œil au baobab, symbole décadent de l'âge d'or de la palabre africaine, je me retournai et quittai définitivement cet endroit sinistre.

*

* *

Le train siffla puis s'ébranla en destination de Douala. Il était miraculeusement à l'heure, ce qui avait fait que beaucoup de gens l'avaient raté. Un adolescent déboula avec son sac à dos, fila vers une porte, attrapa une poignée, et après une course de dix mètres sauta acrobatiquement sur un marchepied. Fier de sa prestation, il se retourna et salua ses copains restés sur le quai. Le train siffla une dernière fois et vira vers le grand pont sur la Sanaga. Je vis le dernier wagon se rapetisser puis disparaître. Dire que c'est cette belle machine qui avait en partie été à l'origine de l'abandon du village de Jam-Libe.

Il était 11 h 27 quand je sortis de la gare d'Edéa. La chaleur se faisait de plus en plus forte. Je pris sur la gauche et m'engageai à pied dans la ruelle qui sépare la gare des logements des cheminots, et qui conduit au passage à niveau. Les hangars précaires et les étals sommaires du marché *Bôm i yendeck* étaient à un jet de pierre. Un ballon de foot me frôla l'oreille et l'un des

281

enfants qui jouaient sur l'esplanade de la gare traversa la ruelle à sa poursuite. Je vérifiai instinctivement que son ombre flottait bien sur le macadam. Depuis mon retour je ne cessais de me demander si nous, dans l'époque actuelle, ne côtoyons pas parfois des gens venus eux aussi d'ailleurs, du futur par exemple. Je me regardai les mains : il me restait encore sur les doigts quelques lacérations causées par l'arrachage des feuilles de raphia qui avaient servi à habiller le toit des deux cases d'un certain Makon qui épousa en 1705 une fille du clan Log-Mangan.

Je dépassai les premières vendeuses dont les marchandises gisaient sur des carrés de plastique étendus par terre. Certaines m'interpellèrent en me montrant diverses choses : on pouvait voir entre autres de gros silures séchés et aussi du porc-épic boucané. Des deux côtés de la ruelle il y avait une suite de hangars aménagés en buvettes où le vin de palme et l'alcool clandestinement frelaté coulaient à flots. Juste derrière les hangars, en contrebas, passait une autoroute. Un grand bus aux vitres fumées déboula du passage à niveau et vrombit en direction de Douala. Sous le premier hangar, c'est le vendeur lui-même qui m'entraîna ailleurs pour me désigner la personne que je recherchais. Elle était debout sous un autre hangar, un verre à la main, et elle animait les débats d'une voix de rogomme sous les yeux d'un auditoire allumé. L'abus d'alcool et une cinquantaine entamée n'avaient pas encore vaincu sa beauté qui avait dû être flamboyante. Dans un premier temps, je restai à l'écart à l'observer silencieusement. J'avais eu le temps de cogiter dans le train et je savais déjà ce que j'allais lui dire. Cette femme avait tout perdu, il ne lui restait plus que de l'argent et d'anonymes compagnons de beuverie. Elle entonna une chanson grivoise qui fut immédiatement reprise en chœur par tout le hangar. Cela me fit de la peine. J'avais l'impression de voir une naufragée dérivant sur un radeau de luxe. Reprenant le dessus, je m'avançai vers elle :

– Madame veuve Françoise Tikyo, je présume. Je m'appelle Alain Nsona et je vous apporte des nouvelles de votre fils.

Composé par FACOMPO à Lisieux (Calavados)

**PAPIER À BASE DE
FIBRES CERTIFIÉES**

Grasset s'engage pour
l'environnement en réduisant
l'empreinte carbone de ses livres.
Celle de cet exemplaire est de :
1 kg éq. CO₂
Rendez-vous sur
www.grasset-durable.fr

CET OUVRAGE
A ÉTÉ ACHEVÉ D'IMPRIMER
SUR ROTO-PAGE
PAR L'IMPRIMERIE FLOCH
À MAYENNE EN MARS 2013

Dépôt légal : mars 2013
N° d'édition : 17660 – N° d'impression : 84503
Imprimé en France